Activa tu bondad

SHARI ARISON

Activa tu bondad

Trasformar el mundo haciendo el bien

EDICIONES OBELISCO

Si este libro le ha interesado y desea que le mantengamos informado
de nuestras publicaciones, escríbanos indicándonos qué temas son de su interés
(Astrología, Autoayuda, Ciencias Ocultas, Artes Marciales, Naturismo,
Espiritualidad, Tradición...) y gustosamente le complaceremos.

Puede consultar nuestro catálogo en www.edicionesobelisco.com

Colección Nueva conciencia
ACTIVA TU BONDAD
Shari Arison

1.ª edición: mayo de 2014

Título original: *Activate your Goodness*

Traducción: *Francisca Tomàs Ramos*
Corrección: *M.ª Jesús Rodríguez*
Diseño de cubierta: *Enrique Iborra*

© 2013, por Arison Creative, Ltd.
Original en lengua inglesa publicado por Hay House Inc.
(Reservados todos los derechos)
© 2014, Ediciones Obelisco, S. L.
(Reservados los derechos para la presente edición)

Edita: Ediciones Obelisco S. L.
Pere IV, 78 (Edif. Pedro IV) 3.ª planta, 5.ª puerta
08005 Barcelona - España
Tel. 93 309 85 25 - Fax 93 309 85 23
E-mail: info@edicionesobelisco.com

ISBN: 978-84-15968-61-0
Depósito Legal: B-9.512-2014

Printed in Spain

Impreso en España en los talleres gráficos de Romanyà/Valls S.A.
Verdaguer, 1 - 08786 Capellades (Barcelona)

*Este libro está dedicado
a todas las personas que van por el mundo
con la intención de hacer el bien
para beneficiar a los demás*

Mi pasión por hacer el bien

Mi nombre es Shari Arison y el deseo de mi corazón es inspirar a las personas a hacer el bien. ¿Cómo llegué a esta conclusión? Pues, bueno, vamos a ver: cuando lo recuerdo, ha sido un camino largo y difícil.

Nací en Estados Unidos, de padre israelí y madre rumana. Mi madre siempre decía cuánto odiaba Estados Unidos, así que, siendo niña, me fue muy difícil sentirme querida por ella dado que yo era americana.

Cuando era una niña pequeña vivía en Nueva York y mi vida, por aquel entonces, parecía una escena sacada de la película *The Help*,[1] de 2011, que contaba la vida de las criadas afroamericanas en el Sur en los primeros años sesenta. Aunque mis padres siempre trataron a nuestra ama de lla-

---

1. *Criadas y señoras*, en español; *Historias cruzadas*, en Latinoamérica *(N. de la T.)*.

ves, Marie, con cariño y respeto, los dos estaban trabajando todo el día fuera y fue Marie quien me crio.

A los nueve años, nos mudamos a Miami sin Marie, lo que para mí fue una catástrofe, y entonces tuve otro increíble *shock* cuando mis padres me anunciaron que iban a divorciarse. Mi madre escogió irse a Israel y mi padre quedarse, para perseguir el sueño americano de dinero y éxito. En cuanto a mí, incluso desde una edad temprana, sentí que había algo más ahí fuera, un profundo vínculo, y me pregunté qué era exactamente.

Mi vida cambió drásticamente durante ese tiempo. Fui lanzada a un torbellino de viajes de ida y vuelta de Estados Unidos a Israel y de Israel a Estados Unidos, volando sola esas largas distancias, haciendo conexiones donde fuera necesario a lo largo del recorrido. Imagina a una niña pequeña viajando ella sola tan lejos. Recuerdo haberme perdido una vez en el aeropuerto de Ámsterdam; estaba aterrorizada.

Gracias a Dios que Marie venía a buscarme al aeropuerto en Nueva York. Siempre venía a buscarme y se aseguraba de que encontraría mi camino a través del laberinto de zonas de seguridad y terminales hacia mi conexión de vuelo. Marie se convirtió en mi amiga para toda la vida, y para mis propios hijos, hasta el día que murió. Es una relación que recordaré siempre con mucho cariño.

Crecer dividida entre dos mundos –Israel y Estados Unidos– significó enormes retos para mí. Asistí a un sinnúmero de escuelas y siempre tuve que hacer nuevos amigos. En Estados Unidos se burlaban de mí por ser demasiado israelí y en Israel me asediaban por ser tan americana. En aquellos tiempos, los dos países eran dos mundos aparte.

En Estados Unidos, todas las casas tenían teléfono y televisión, pero en Israel todavía tenías que esperar siete años para obtener los servicios de teléfono, y las televisiones eran una novedad. Cada barrio tenía uno o dos televisores, en blanco y negro, y todo el mundo se reunía para mirar la televisión. Las normas sociales también estaban a años luz. Por ello, a menudo, me sentía desplazada, desconectada, sintiendo que el mundo era cruel y que debía de haber aterrizado en el planeta equivocado.

Cuando crecí, mi *camino* continuó con los altibajos normales que tiene la mayoría de la gente. Aunque hoy en día muchos piensan que crecí con el privilegio de la riqueza, ése no fue mi caso. Mi padre se arruinó en varias ocasiones y sólo consiguió su fortuna tras años de penurias. Como era un gran visionario y no se daba por vencido, finalmente, logró fundar la empresa Carnival Cruise Lines. Yo tenía 20 años cuando alcanzó el éxito y la compañía salió a bolsa, aunque los barcos formaron parte de mi vida desde el momento en que nos mudamos a Miami.

Así que, después de muchos años de ir de un lado a otro y de servir en el ejército israelí, me establecí en Miami por un largo período de 16 años. Me casé con mi primer marido y tuve a mis tres primeros hijos en Estados Unidos. Entonces, tras años de ejercer de mamá a tiempo completo, creé nuestra fundación familiar, la Fundación Arison, y me incorporé al Consejo de Administración de Carnival. Luego vino un desafortunado divorcio y la Guerra del Golfo, y en Miami me consumía la ansiedad. Estaba preocupadísima por mis seres queridos de Israel: mi madre, tías, tíos, primos y amigos. Estos acontecimientos me pusieron las cosas en perspectiva y supe, a ciencia cierta, que el lugar en el que quería estar –el lugar al que me sentía más unida– era Israel.

Por ese entonces, ya había conocido y me había casado con mi segundo marido. Juntos, con mis tres hijos, nos mudamos a Israel en el verano de 1991, donde nació mi cuarto hijo. Una vez más, me costó un tiempo adaptarme a la nueva mentalidad. Si hacía la comparación, me parecía que era muy diferente haber sido una niña que vivía en un país extranjero y que trataba de amoldarse, a ser una mujer y madre, que intenta adaptarse a un estilo de vida y de mentalidad tan diferente. Sin embargo, puse en marcha una fundación y después un negocio. Volví a contactar con la familia y los viejos amigos e hice otros nuevos... Era feliz y seguía adelante con mi vida.

Pero, no obstante, me enfrenté a un choque cultural enorme; incluso las cosas cotidianas en las que no pensamos, como los bancos, los tipos de cambio del dólar, la forma de comunicarse o de negociar, todo era muy diferente de lo que estaba acostumbrada en Miami. Por no mencionar el machismo que experimenté durante muchos años cuando traté de abrirme camino en un ambiente dominado por los hombres.

A medida que pasaron los años, me enfrenté a otro divorcio, otro matrimonio y un tercer divorcio, mientras durante todo el tiempo intentaba comprenderme a mí misma y la vida que estaba llevando. Busqué un sinfín de técnicas, seminarios y lecciones y exploré innumerables doctrinas sobre espiritualidad. Estudié diversas enseñanzas y leí muchos libros de la llamada *New Age*. Aprendí y crecí... y aprendí y crecí.

De la lección que primaba, no cabía duda: la vida nos depara vicisitudes a todos nosotros. La cuestión es qué hacemos con ellas.

No importa lo que hiciera, siempre sentía que estaba aprendiendo las lecciones de mi vida de la manera más difícil, con mucho sufrimiento emocional, hasta que un día, hace ya tiempo, de repente lo tuve claro. Fue como si se me encendiera la bombillita. Me sentí llena de lucidez y me dije: «quiero hacer cosas buenas, quiero pensar en cosas buenas; quiero sentirme bien».

Estaba tan enferma cuando esta percepción me llegó –física, emocional y espiritualmente agotada tras toda una vida de lucha–. Luchando por lo que quería, tanto si estaba llamando la atención de mis padres cuando era niña o luchando por conseguir mis muchos planes y objetivos, tales como el establecimiento de un hospital de primera clase en Tel Aviv. He trabajado duro para llevar este sueño adelante con el fin de ayudar a nuestros ciudadanos a que reciban la mejor atención.

Luché para crear United Way, una organización israelí que aportó una nueva cultura de la donación que todavía hoy en día es floreciente. Luché en cada una de mis empresas y organizaciones filantrópicas para implementar ideas visionarias, como la de dar carta blanca en la gestión de los recursos financieros del banco del que soy una de las accionistas mayoritarias.

En mi compañía inmobiliaria y de venta de infraestructuras, puse todo mi empeño en la incorporación de prácticas sostenibles. También creé una empresa de agua que tuviera una visión de distribución del agua que fuera abundante, lo que al principio nadie podía entender.

Asimismo, fue también una lucha crear organizaciones como Essence of Life, que se fundó en la creencia de que sólo podemos alcanzar la paz mundial alcanzando la paz interior, cada individuo dentro de uno mismo y en su entorno.

Revelación tras revelación, era un proceso de convocar a la gente adecuada para crear los equipos adecuados con el fin de inculcar valores y establecer metas que estaban por delante de su tiempo. Hoy en día, existen tres universidades que están estudiando y desarrollando un nuevo currículo académico inspirándose en el modelo de negocio que propongo, basado en esos valores.

Pues sí, todas son cosas beneficiosas, satisfactorias personal y profesionalmente y yo debería haber estado en la cima del mundo. Pero hace un par de años, sentí como si me estuviera cayendo a pedazos, a todos los niveles: física, emocional y espiritualmente. Sentí que durante años, para que la gente me entendiera, tuve que darme golpes contra la pared. Logré mover algunas paredes y romper algunos techos de cristal, pero comencé a sentirme abrumada, cansada y enferma.

Cuando por fin lo vi todo claro, me di cuenta de que yo no tenía que convencer a nadie, especialmente a aquellos que eligen no ver con aquellos que no quieren cambiar por ninguna razón. Si quiero hacer del mundo un lugar mejor para vivir, puedo hacerlo cultivando la bondad en mí y en mi entorno, con las personas que también comparten ese sueño.

¡Qué alivio sentí cuando me di cuenta de que no tenía que pelear más! Ahora, sólo me dedico a hacer mi parte y a conectar con aquellos que quieren lo mismo que yo: un mundo mejor. ¿Quieres un mundo mejor?

La imagen que tengo es la de un mundo bondadoso, un mundo feliz y lleno de paz; y no lo digo porque esté ciega o sea una ingenua. Lo digo porque, aunque *he sufrido* y *he pasado* experiencias difíciles, *creo firmemente* que las cosas pueden ser distintas.

He aprendido de mis experiencias pasadas y continúo aprendiendo cada día. Pero ahora creo que estas lecciones de la vida se pueden alcanzar sin sufrimiento. Tengo fe en que podemos crear el próspero y positivo ambiente que queremos para nosotros mismos, nuestros hijos y nuestro planeta.

Trato de mantener esto en todo lo que hago, tanto en lo personal como en mi negocio y mi grupo filantrópico. Así fue, con esto en mente, que llevé mi pasión y creencia en el poder de hacer el bien e inicié el Día de las Buenas Acciones[2] en Israel, en 2007. Todo comenzó como una idea sencilla: durante un día, cada persona haría algo bueno por alguien o por el mundo. Empezamos con unos pocos miles de personas, incluyendo a mi familia y mis empleados, y cada año ha ido creciendo hasta cruzar fronteras y convertirse en un día internacional para hacer el bien.

Cada año, en el Día de las Buenas Acciones, salgo personalmente a hacer mi buena acción, recorriendo todo el lugar. Es una delicia comprobar cómo surgen los numerosos actos de bondad, individuales y colectivos. En cada sitio que visito, estoy tan emocionada, y mi corazón se llena de todo el bien que veo. Me pregunto a mí misma: «¿no sería maravilloso que todos los días fueran así?». Puede ser. Sinceramente, creo que puede ser así.

Todos tenemos un papel que desempeñar para conseguirlo. Es por eso que nosotros, en Arison, seguimos expandiendo nuestros esfuerzos cada año, para concienciar a más y más personas del *poder de hacer el bien*. Queremos animar a cada hombre, mujer y niño a expresar su bondad no sólo en ese día, sino en todos los días... en cada momento de sus vidas.

Este libro es mi manera de explicar cómo todo esto de «hacer el bien» funciona, cómo puedes hacer este trabajo contigo mismo y activar tu propia bondad. Esto comienza por amarse y respetarse a uno mismo y, entonces, esa energía positiva se extiende por el mundo, trasformándolo todo a lo largo del camino.

---

2. *Good Deeds Day*, en el original. *(N. de la T.)*

CAPÍTULO 1

Llamamiento a todos para hacer el bien

Imagina cómo te sentirías si un día te despiertas con la certeza en tu corazón –de hecho, la certeza ha estado ahí toda tu vida– de que un gran cambio se avecina. Que este cambio era necesario y querido e inevitable... que podría, finalmente, impregnar al mundo entero.

Siempre he deseado este cambio. Todos formamos parte de él, cada uno de nosotros en todo el mundo. Nuestro futuro colectivo nos concierne a todos. Tenemos la posibilidad de decidir –asumiendo la responsabilidad aquí y ahora– cómo nos comportamos, con nosotros mismos y con los demás, y de ser plenamente conscientes de cómo nuestras decisiones afectan a nuestro entorno, a nuestro planeta y a toda la humanidad.

Durante toda mi vida me he preguntado: «¿cuál es mi labor?». He indagado sobre esto en mi interior y también con la ayuda de los demás. Dado que todos tenemos que asumir una responsabilidad personal, empecé preguntándome a mí misma: «¿qué puedo ofrecer al mundo, dadas mis habilidades específicas, mi experiencia en la vida, y a través de qué plataformas voy a lograrlo?».

Trabajo desde que soy una adolescente y entré en la empresa familiar a los 20 años, en Miami, justo cuando estaba *despegando*. Un salto rápido hasta el día de hoy: vivimos en Israel, mi hijo menor está terminando los estudios superiores y mis negocios mundiales e intereses filantrópicos tienen su sede aquí. A la sazón, dentro del gran cambio que eso supuso, hubo un momento en que sentí (y todavía siento hoy, ya que es un proceso continuo) la necesidad de partir de mí misma y luego hacerlo llegar a todos aquellos que se mueven en mis círculos.

Aparte de mis habilidades, sabía que también podía recurrir a mis experiencias vitales. Como ya he mencionado anteriormente, he vivido todo tipo de altibajos, pero no me han superado. Hablé con más detalle acerca de todos esos desafíos de la vida en mi primer libro, titulado *Birth: When the Spiritual and the Material Come Together*, así que no añadiré nada más al respecto. Sólo que al reflexionar de nuevo sobre mi vida, me siento bendecida por todo lo que tengo, por todo lo que he aguantado –buenos y malos tiempos– porque todo ello me ha convertido en la persona que soy hoy. Estoy más decidida que nunca a asumir mi parte de responsabilidad personal en mejorar nuestro mundo. Cuando me pidieron que escribiera un segundo libro, dije que sí y decidí hacerlo sobre el poder de «hacer el bien». Sabía que en este libro podría incluir mis experiencias para promover la idea de hacer el bien, tanto como individuo, como en mis empresas y organizaciones. Quiero que este concepto sea una fuente de inspiración para las personas, a sabiendas de que cada una de ellas es capaz de aportar una contribución importante.

Esta visión universal mía es muy simple, pero es algo que me apasiona. El concepto de *hacer el bien* me llegó hace unos años, cuando vi una luz tras el túnel. Esas palabras resumen mucho de lo que siempre he creído y, cuando empecé a comunicar ese concepto a las personas que tenía a mi alrededor, vi que también ejercía una influencia positiva en ellas. Pronto me di cuenta de que estaba en lo cierto.

Esta percepción se basa en la creencia de que, a través de hacer el bien, pensar en hacer el bien y elegir conscientemente utilizar palabras, acciones y sentimientos positivos cada día, todos nosotros podemos mejorar la bondad en nuestro mundo. Creo que ha llegado el momento de manifestar esta visión dentro de todos nosotros, en todos los rincones del mundo.

Hacer el bien es un negocio

Incluso antes de que esta visión de hacer el bien se convirtiera en algo realmente trasparente para mí, toda mi vida he trabajado para crear un cambio en mi interior, en mi entorno y dentro del Grupo Arison de negocios y organizaciones filantrópicas. Es cierto que, desde el principio, la Fundación Arison ha estado funcionando profesionalmente como todas las unidades de nuestro negocio. Escuchamos las necesidades de las comunidades, aquí, en Israel, y entendemos que no estamos sólo dando fondos para obras de caridad, sino que también estamos optando por hacer importantes inversiones sociales en nuestro futuro colectivo.

Desde hace varios años, todos nuestros negocios y entidades filantrópicas han estado poniendo en práctica visiones a largo plazo e inculcando valores. Y ahora puedo decir que estamos demostrando que *hacer el bien es un buen negocio*. Muchas empresas van tomando conciencia de que hay una manera nueva en la que basarse, totalmente distinta, para hacer negocios.

Pero *Activa tu bondad* no es una obra que hable sólo de empresas y organizaciones. La razón de este libro es que creo que todo lo bueno empieza con cada uno de nosotros, como individuo. Quisiera que te plantearas hacer conmigo este recorrido, que es todo un reto personal. Se basa en una premisa muy simple: todo lo que tienes que hacer es *pensar en el bien, hablar del bien y hacer el bien*. Éste es mi objetivo principal, y soy muy afortunada al tener tantos empleados en todo el mundo que, conjuntamente, han contribuido a poner en práctica este cambio de mentalidad y mostrar al mundo que se puede llevar a cabo.

Por lo tanto, no vas a estar solo en este recorrido, ¡todo lo contrario! El Grupo Arison ya ha comprometido su enorme fuerza de trabajo global: más de 24.000 empleados que trabajan desde la visión de hacer el bien. Nuestros esfuerzos colectivos también alentaron a más de 250.000 personas en Israel y miles más en todo el mundo para «activar su bondad» –haciendo una buena acción en nuestro anual Día de las Buenas Acciones, en 2012.

¿Podría ser realmente así de sencillo? ¿Piensa en el bien, habla del bien, haz el bien? Bueno, sí y no. Si fuera tan fácil, ¿por qué estamos en guerra unos contra otros? ¿Por qué hay tanto sufrimiento? ¿Por qué hay todavía tantas personas groseras y agresivas? ¿Y por qué, esta mañana, en medio del tráfico, otro coche te cortó el paso?

Desde mi punto de vista, podemos escoger entre dos caminos. Uno nos conduce todavía a más conflictos y el otro, por la senda de una mayor compasión, nos lleva hacia la paz. En el primer caso, vemos que los conflictos van en aumento; y eso conlleva crisis económicas más profundas, guerras y hambrunas continuas, más desempleo, mayores niveles de calentamiento global del planeta... en fin, la lista es enorme.

Pero, al mismo tiempo, miro a mi alrededor y veo amor y compasión. En estos días, cada vez más personas aportan más de ellas mismas que antes y un mayor número de individuos actúan y participan junto a otros para hacer del mundo un lugar mejor para vivir. Veo infinidad de gente a la que le importa muchísimo lo que le pueda suceder al resto de la humanidad, a los animales y al medio ambiente. Creo que, en conjunto, empezamos a sentirnos cansados de negatividad y estamos buscando, conscientemente, encontrar la manera de lograr un cambio positivo.

El poder de hacer el bien

El amor y la compasión están vivos. ¡Imagina que todos pudieran subir a bordo! Si todas y cada una de las personas existentes en este mundo tan sólo recordaran el hecho de ser conscientes de pensar en el bien, hablar sobre ello y hacerlo; creo firmemente que cada uno de nosotros se puede trasformar a sí mismo y de esta manera, mediante ese proceso, de forma colectiva, conseguiremos trasformar el mundo.

Así pues, este libro habla sobre «hacer el bien», lo que parece bastante simple y honesto. Pero, ¿sabes cómo dar desde una posición auténticamente positiva? y ¿cómo recibir amablemente? ¿Eres, antes de todo, afectuoso contigo mismo? Éste es el primer paso y es contra el que más he tenido que luchar durante muchos años.

La mayoría de nosotros, los conceptos de bueno y malo y de las reglas de la vida, los aprendemos al ir creciendo, desde niños. Para mí, eso sucedió primero en Nueva York y luego en Miami e Israel. Mi familia es judía, pero vivimos un estilo de vida secular; aun así, desde que era muy joven, me sentí, personalmente, muy judía y tenía un profundo vínculo con Israel.

Hoy en día, la gente me dice que soy más religiosa que «la religión», pero yo prefiero pensar en mí misma como espiritual. Soy un ser espiritual –como lo somos todos– con la misión de encontrar nuestra verdadera pasión y nuestro camino. Me esfuerzo por vivir mi vida plena y auténticamente en ambas esferas, la material y la espiritual. Siento una gran pasión por ayudar a toda la humanidad y mi camino es motivar un cambio en las personas para hacer el bien.

El momento es ahora, porque necesitamos remplazar los viejos patrones de comportamiento humano y de la sociedad que se basaron, en gran medida, en la escasez, la avaricia y el miedo. Estoy proponiendo que, colectivamente, tenemos el poder de sustituir esas viejas creencias, que ya no están funcionando, a través de hacer el bien y le estoy pidiendo a cada persona en el mundo que se vincule a esta visión y que contribuya a la misma. Para que esto funcione realmente, necesitamos una masa crítica de gente que den un paso adelante y que se unan.

Lo bonito de hacer el bien es que no importa dónde vives, dónde vas al colegio, o lo que haces para ganarte la vida, ni siquiera importa la edad que tienes o a qué grupo cultural perteneces. Todas y cada una de las personas pueden hacer que sucedan cosas extraordinarias cuando usan el poder de hacer el bien, primero para ellos mismos y luego dejando que se propague por el mundo.

Por lo que puedo ver, desde hace algunos años, mucha gente en el mundo ha estado anhelando que haya algún cambio y ha comenzado a buscar un mayor significado y profundidad en sus vidas. Sé que yo también tengo que hacerlo.

Los innumerables hombres y mujeres que encuentro en mi vida diaria, los autores que he leído, los líderes que respeto –de todo el mundo– parecen estar experimentando esta fase de cambio y están empezando a cambiar modelos obsoletos y a liberarse ellos mismos de estos viejos patrones moviéndose hacia lo nuevo.

En busca de la autenticidad

Para que realmente tenga lugar un cambio masivo, se requiere una masa crítica impulsada por la energía de la bondad y auténtica buena voluntad. Sólo cuando una enorme cantidad de gente piense en el bien, hable del bien y haga el bien podremos generar un cambio esencial y duradero en el estado de la especie humana.

Lo que veo que está sucediendo es esto: a medida que más y más de nosotros descubrimos y expresamos nuestro auténtico yo, creamos una nueva realidad que hace hincapié en nuevos valores –valores basados en la unidad, el amor, la amistad y la compasión–. Por encima de todo, desarrollamos la capacidad de aceptación universal, que es la capacidad de aceptarnos a nosotros mismos y a los demás, a pesar de nuestras diferencias.

Cada uno de nosotros puede usar sus talentos únicos para llevar a cabo este cambio y se puede influir en cualquier campo en el que se esté. Como yo soy una persona de negocios y tengo una fuerte moral rectora, muchas de mis actividades giran en torno a los negocios y la filantropía, pero me esfuerzo duramente para hacer el bien en mi vida personal y en mis relaciones del día a día. Las cosas no siempre van perfectamente, porque ninguno de nosotros es perfecto, pero voy probando a diario.

Aquí, en Arison, estamos descubriendo que, a través de un liderazgo de negocios reflexivo, estamos creando un mundo mejor. Esto se debe a que los negocios y las iniciativas filantrópicas (a diferencia de los países) no tienen fronteras y el efecto que pueden tener es internacional.

Y aunque soy muy espiritual, también soy igualmente práctica. Como ya he dicho, el Grupo Arison incluye organizaciones filantrópicas y empresas. Nuestros negocios son tanto públicos como privados en las áreas de finanzas, inmuebles, infraestructuras, sal, agua y energía. En los negocios, consideramos, antes de todo, el aspecto económico de todo lo que hacemos. Pero, a medida que examinamos todos los aspectos de cada acuerdo comercial, a veces descubrimos que puede tener consecuencias negativas para las personas o el planeta y, en esos casos, no seguimos adelante con él, ya que, a largo plazo, no obtendremos un beneficio.

El dinero en sí mismo no es suficiente para ser nuestra única fuerza motriz; hoy en día lo vemos muy claramente. Por otro lado, cuando seleccionamos proyectos e iniciativas que sustentan el mundo, nos sustentamos a nosotros mismos como empresa. Cuando el mundo saca provecho, entonces nosotros también nos aprovechamos. Sin lugar a dudas, hacer el bien es un buen negocio.

Llevar una vida auténtica y aprender a dar y recibir equilibradamente no es lo más fácil del mundo. Las buenas acciones a veces salen mal y los propósitos bienintencionados se quedan cortos. No es un camino recto, pero creo que hacer el bien tiene el poder no sólo de trasformar tu vida y enriquecerte enormemente, sino también de provocar un efecto dominó que se apreciará en todo el mundo. Nuestros actos de bondad, personales y colectivos, para con nosotros mismos y con los demás, en última instancia, afectarán a todos los aspectos de la vida, del planeta y de la humanidad entera.

Ése es un enorme reto, me doy cuenta, así que vamos a empezar primero por hacer el bien a la persona más importante del mundo: *¡tú!*

CAPÍTULO DOS

Hacer el bien a uno mismo

Cuando un auxiliar de vuelo en un avión te instruye sobre qué hacer en caso de emergencia, él o ella siempre dicen que te pongas la máscara de oxígeno tú primero, antes de ponérsela a tus hijos o a cualquier otra persona que necesite ayuda. Al principio, esto suena un poco absurdo ya que la reacción natural de cualquier padre sería la de ayudar a su hijo inmediatamente. Sin embargo, si no te ocupas primero de ti mismo, serás incapaz de ocuparte de nadie más. Tienes que ayudarte a ti mismo o no servirás de ayuda a nadie.

Parece sencillo cuando se explica de esta forma, pero ser bueno con uno mismo siempre, ser amoroso y compasivo hacia uno mismo sobre una base coherente, en realidad, no es tan simple. Hay muchas razones por las cuales las personas no se quieren a sí mismas y por las que siguen colocando las necesidades o deseos de los demás antes que los suyos propios, incluso en detrimento de su propia salud y bienestar.

Puede que tú seas una de esas almas excesivamente buenas. Tal vez seas uno de los muchos a quienes sus padres le enseñaron que siempre tienes que dar a los demás antes que a ti mismo porque dar a uno mismo es egoísta. Muchas enseñanzas religiosas hablan sobre servir a los demás y dar a los necesitados. Pero yo creo que si no te preocupas primero de ti mismo, simplemente, ¡no te quedará nada para dar!

Hacer el bien a uno mismo empieza por quererse de por sí y eso significa aceptarse y amarse tal como se es en cualquier momento. Para poder hacer esto, primero tienes que conocerte a ti mismo. Seguramente estás pensando, ¡me conozco a mí mismo! Pero, ¿es verdad? ¿Sabes lo que quieres de veras y lo que te hace sentir bien? ¿Sabes cómo escucharte a ti mismo, tu cuerpo, tu alma? ¿Tratas a tu cuerpo como el templo que es, dándole la mejor nutrición y suficiente descanso? ¿Eres sinceramente feliz, sano y estás en paz?

Pocos de nosotros hemos llegado a ese punto de equilibrio porque nuestras vidas son muy estresantes y están llenas de demasiados estímulos. Todos necesitamos lidiar con los retos que tenemos, pero ¿estamos enfrentándonos a nuestra vida diaria de un modo positivo y sano? Veamos, muchos de nosotros trabajamos muy duro, descansamos poco, no hacemos suficiente ejercicio, compramos demasiado y perdemos mucho tiempo delante del ordenador. Y algunos llevan esto al extremo fumando, bebiendo, comiendo en exceso o, incluso, tomando drogas. Demasiado de cualquier cosa nos descoloca y nos impide sentirnos verdaderamente contentos con nosotros mismos.

Como muchas otras personas, he tenido muchas dificultades con mi peso en diferentes etapas de mi vida –porque comía en exceso y no hacía suficiente ejercicio– y, en esas ocasiones, pasé momentos difíciles tratando de volver al buen camino. O sea, que sé de qué va. No es fácil sobreponerse a estas cosas y encontrar el equilibrio, pero puedes hacerlo.

Nadie quiere estar con sobrepeso, con exceso de trabajo o ser adicto a las drogas. Nadie quiere sentirse infeliz o estresado. Ésos son síntomas de algún problema más profundo que nos está afectando interiormente. Como seres humanos que somos, a lo largo de los años, hemos ido añadiendo capas y capas con nuestras penas, miedos, frustraciones y enfados. Pero debajo de todo eso está nuestro auténtico ser, un individuo digno de amor y aceptación. Nuestra esencia es como un diamante en bruto, pero cuando estamos cubiertos de capas de «suciedad» y energía negativa, nuestro verdadero ser queda oculto bajo ellas.

Desarrollar el autoconocimiento a través de la introspección

Existen diversas maneras de quitarse las capas de energía negativa. He hablado detalladamente de esto en mi primer libro y hay un sinfín de libros de autoayuda y *New Age* con diferentes técnicas que podrías intentar. Personalmente, he descubierto que el mejor sitio para empezar es echarse un buen vistazo a uno mismo. La introspección funciona, no es rápida ni fácil, pero es efectiva. Cuando aprendes a mirarte y amarte por lo que eres, cuando estás conectado con lo que realmente quieres, hacer el bien para uno mismo se convierte en una segunda naturaleza.

El primer paso es la autoconciencia, así que sé tan honesto como puedas contigo mismo. No te juzgues ni te culpes, ni a ti ni a nadie más, por lo que percibes como fallos o defectos. Ahí no hay excusas que valgan. Luego pregúntate: «¿cómo me siento?». Deja que tus sentimientos afloren de forma positiva. Tras ese proceso de limpieza, puedes examinar más a fondo lo que realmente quieres en la vida.

Entiendo lo difícil que es hacer eso. Muchas veces he dicho «voy a empezar mi dieta mañana» y nunca la he seguido hasta el final. Y muchas veces he oído decir a amigos «voy a dejar de fumar», pero no pudieron. No pasa nada. Tú sigue sacándote esas capas que te están impidiendo poder tomar decisiones positivas. Sigue concentrándote en lo que deseas y, desde el fondo de tu corazón, pídele a un ente superior apoyo para un buen propósito. Para mí, ese ente sería Dios; para otro, podría ser un Poder Superior o el Universo. Elige lo que sea justo para ti. Sólo recuerda pedir algo bueno.

Éstos son algunos ejemplos de cómo usar el proceso de introspección. Uno consiste en sentarse en silencio, concentrándote en tu propia respiración, ir relajando poco a poco la mente y dejar que los sentimientos vayan aflorando en tu cuerpo. Sigue respirando profundamente, centrándote en cada respiración y preguntándote: «¿qué es lo que siento?». Toma conciencia de tus sentimientos, siente realmente esas emociones y, a continuación, suéltalas, a través del llanto, gritando o, incluso, anotándolas en un diario... lo que te sirva. Lo principal es aceptar todas esas sensaciones para luego poder irse liberando de ellas, desprendiéndose de todas esas capas de energía que has ido manteniendo. Pero recuerda: éste es tu propio proceso, es para ti mismo. No la tomes con nadie más.

Otra técnica introspectiva es la de mirarse en un espejo. Mira fijamente tus ojos. ¿Qué te están diciendo? ¿Están tristes? Si ves tristeza, haz una elección consciente hacia la felicidad. Al principio, puedes sentirte incómodo, pero no te des por vencido y continúa. Sólo permanece concentrado, respira profundamente, mira profundamente y escucha lo que tu alma te está diciendo. Sé paciente. Con un poco de práctica, las respuestas llegarán.

Lo que he descubierto es que cuando de verdad te quieras y te aceptes tal cual eres, comenzarás a tomar mejores decisiones en la vida. Establecerás límites sanos para protegerte de la negatividad de tu entorno y empezarás a sentir más compasión hacia los demás y tu amor se extenderá por el mundo de forma maravillosa.

A medida que, capa tras capa, vas despojándote de la energía que ya no necesitas, es como ir quitando las capas de «suciedad» que cubren el diamante en tu fuero interno, haciendo que tu verdadera esencia consiga brillar. Normalmente, un solo proceso de limpieza no basta, sino que son necesarios muchos, ya que es bastante probable que te haya costado varios años acumular todas esas capas que te bloquean. Justo cuando crees que ya lo has conseguido, es posible que encuentres más capas que salen a la superficie. Al menos, esto es lo que me pasaba a mí y ahora puedo admitir que, tanto la introspección como la limpieza de la propia energía, forman parte esencial de mi rutina diaria.

Al pasar por este proceso de introspección, podrías descubrir cosas de ti mismo que no te gusten, no luches contra ellas. Eso causaría sólo resistencia. La fuerza da más fuerza. Por lo tanto, acepta todas las cosas que surgen, te gusten o no. Sólo cuando las aceptas, entonces, puedes liberarlas.

Descubre qué funciona para ti

Si estas técnicas son un reto para ti, hay otros métodos que pueden ayudarte a descubrir tu verdadero yo. A la hora de pedir ayuda, no tengas miedo. A lo largo del camino que he recorrido, a través de los años, he explorado técnicas muy diversas para poder liberar las capas de energía que se habían acumulado en mi cuerpo y en mi alma. Tomarte tiempo para tu desarrollo personal no es ser indulgente, egoísta o interesado. Más bien, es necesario y vital ser bueno con uno mismo si deseas hacer el bien a los demás.

¿Qué sucede cuando intentas practicar esas técnicas y te vuelves más consciente de ti mismo? Que eres capaz de liberar lo que ya no necesitas. Por ejemplo, si te aferras a la ira, esta ira es una energía que está dentro y a tu alrededor. La mayoría de la gente piensa que tal sentimiento forma parte de lo que son, pero yo no creo que eso sea así. La ira, o cualquier otro sentimiento, es sólo energía. Por ejemplo, sabemos que no queremos sentirnos enfadados, pero, a veces, es muy difícil ver la diferencia entre la ira y quiénes somos en esencia.

Por su parte, el proceso de purificación y de autodescubrimiento lleva a una mayor autoconciencia y, con una mayor autoconciencia, te das cuenta de que ya no necesitas esa ira o que el pasado no te hace sufrir más. Esas facetas tuyas que tantos problemas te han dado no te hacen falta para nada; no te son beneficiosas para poder ejercer la bondad y no forman parte de quien eres en realidad. Dentro de ti, en esencia, eres amor puro; como todo el mundo. Una vez quede atrás el cúmulo de todo lo que te hace daño y todos esos sentimientos que te hacen sufrir, verás que puedes escoger el bien.

Así que, en la práctica, cuando vuelven los pensamientos negativos, debes ser consciente de esos pensamientos y centrarte mejor en lo que quieres de una manera sana. Por ejemplo, tal vez estás enojado contigo mismo porque trasnochaste demasiado la noche anterior y te despertaste agotado. En lugar de maltratarte, guía a tus pensamientos para responder de manera amorosa. Más bien piensa: «¡quiero disfrutar de un día mejor!».

No seas duro contigo mismo si descubres que tienes un pensamiento negativo eterno, sólo continúa intentando centrarte en los buenos pensamientos. Es como entrenar tu cuerpo para estar en forma. Al principio, cuando inicias un nuevo programa de ejercicios, cada nueva actividad es agotadora. Pero si te mantienes firme y continúas, al cabo de poco tiempo todo se va haciendo cada vez más fácil. De la misma manera, tendrás que invertir un poco de esfuerzo para centrarte permanentemente en los buenos pensamientos, pero, con la práctica, se volverá más fácil y natural.

Al mismo tiempo, fíjate en lo que dices exactamente. Las palabras que utilizas, ¿hacen que te sientas mejor o peor? Trata conscientemente de hablar en voz alta de una manera amorosa. Con la práctica, esto también será más fácil.

Además de pensar en el bien y hablar del bien, pasa a la acción. A medida que comienzas a sentirte mejor y a deshacerte de las capas que te están reteniendo, naturalmente empezarás a pensar en todas las cosas buenas que puedes hacer, que son beneficiosas para tu cuerpo y tu mente. ¡Ahora es el momento de actuar!

Actuar para uno mismo

Presta atención a lo que te hace feliz, a lo que te llena completamente de energía y a lo que te hace sentir un hormigueo en el cuerpo. Una vez lo sepas, haz lo que te permite desarrollarte. Quizás te gusta escribir, pintar o cocinar. Pero con todas tus responsabilidades diarias, piensas, «ya no tengo tiempo para esas cosas».

Es necesario sacar tiempo para hacer las cosas que te gustan. Es bueno bailar, reír o realizar alguna tarea artística –actividades como éstas alimentan tu alma y pueden ser muy reconfortantes y relajantes–. Correr cada mañana sólo por el placer de hacerlo, ver una película divertida con un amigo, cuidar el jardín y ver crecer las plantas, acariciar a tu perro cada mañana al despertarte... cuando lleves a cabo una acción determinada que te resulte positiva, eso hará que te sientas mejor, te iluminará.

Yo empecé a notar, a lo largo de los años, que me sentía agotada cada vez que tenía que participar en actividades que, realmente, no me gustaban mucho o cuando estaba rodeada de ciertas personas. Simplemente no me sentía bien y resultaba agotador. Cuando me volví más consciente, cuando estaba más en contacto con mi auténtico yo, presté atención a lo que era importante para mí y a lo que me consumía. Ahora opto por ir a lugares y estar con personas que me hacen sentir bien.

También tomé la decisión consciente de utilizar mi tiempo libre haciendo las cosas que de verdad me gustan. En mi caso, ir a la playa, ver una película, leer un libro, meditar o expresar mi creatividad a través de la escultura, el dibujo o el baile. Cuando decidas hacer cosas que son estimulantes para ti, tendrás más energía positiva en todos los aspectos de tu vida.

A través de la introspección, también me di cuenta de que soy el tipo de persona que necesita tener tiempo para mí misma, con objeto de recargar las pilas. Puede ser que escuche música, dé un paseo o, simplemente, me siente en silencio y disfrute de la soledad. Una vez que empecé a añadir, de forma consciente, esos momentos de tranquilidad a mis experiencias de cada día, todo fue distinto. Todavía tengo una agenda apretada, pero también poseo más energía para enfrentarme a ella porque constantemente me tomo un tiempo para mi reflexión personal y para recargar pilas.

Llegar a conocerte a ti mismo y lo que te hace sentir bien es muy importante. Es relativamente fácil añadir algunas cosas sencillas en tu día a día. Recuerda, cuando piensas bien, hablas del bien y haces el bien, te trasformas a ti mismo internamente; y, al hacerlo, trasformas el mundo. Nuestro próximo paso juntos es aplicar estos principios en el exterior y permitir que lo bueno que hay en ti se expanda a aquellos que están más cerca de ti, en tu círculo inmediato de vida.

CAPÍTULO TRES

Hacer el bien a tus seres queridos

Lo sepamos o no, nuestra energía crea un efecto dominó, como una piedra que se lanza al mar. Todos tenemos una vibración que resuena dentro de nosotros y afuera, en el mundo. El primer círculo exterior a nosotros mismos en el que se percibe ese efecto dominó es en nuestros hogares. La bondad tiene el poder de reconfortar y hacer feliz a aquellos que más quieres; es contagiosa. Pero también lo es el efecto dominó causado por la energía negativa. Si optamos por traernos a casa un cúmulo de energía negativa, ¿sabes qué ocurrirá?, todos aquellos con los que convivimos se contagiarán rápidamente.

Imagínate un hombre volviendo a casa del trabajo, echando humo, furioso por algo que le ha pasado ese día. Cierra de un portazo el coche, entra como un bólido en casa y, atropelladamente, pasa de largo sin apenas decirle hola a su mujer. Probablemente, ella estaba deseando que regresara a casa, pero ahora está preocupada y ansiosa. ¿Ha perdido su trabajo? ¿Está molesto con ella por alguna razón? Se sienta a la mesa, sintiéndose triste y asustada. Es una escena que podría suceder en cualquier hogar. Ya sabes lo que pasa siempre.

Pero, espera, ¿qué pasaría si rebobinásemos y representáramos la escena de nuevo? Esta vez el mismo hombre regresa a casa del trabajo, echando humo, furioso por algo que le ha ocurrido ese día y cierra la puerta del coche cuando sale. A grandes zancadas, se dispone a entrar en su casa, pero justo en la puerta, antes de cruzar el umbral, se refrena. El hombre se da cuenta de que su ira está a punto de explotar y que está a punto de entrar en su casa con ella.

Se detiene y, primero, hace un esfuerzo consciente para calmarse. Realiza un par de inspiraciones profundas y espira, liberando las emociones de enfado en cada exhalación. Sabe que su ira no tiene nada que ver con su familia y, además, ahora está en casa.

Las respiraciones profundas han calmado sus nervios y es capaz de entrar en casa tranquilamente. Se quita el abrigo y saluda a su esposa con una cálida sonrisa, inclinándose hacia ella, ya que está sentada, para darle un abrazo. Ella le devuelve la sonrisa y le señala algo divertido, que estaba mirando en su ordenador portátil, y comparten unas risas. ¡Qué forma mucho más agradable de comenzar su noche juntos!

¡Qué escenario tan diferente! Qué poderoso fue el cambio cuando el hombre reparó en su ira y tardó menos de un minuto en calmarse. Fueron sólo unas cuantas respiraciones profundas, pero *tomó la decisión de pensar en el bien*. Luego *habló bien* –saludó afectuosamente a su esposa–. Y, a continuación, lo remató *haciendo el bien*: se tomó una pausa para darle un abrazo y escuchar lo que ella le quería contar de cómo le había ido el día.

Era muy probable que estuviera todavía algo molesto, pero no dejó que ese cúmulo de energía negativa entrara en su casa y afectara a sus seres queridos. Además, él mismo se sintió mejor porque fue capaz de disfrutar de su familia, cenar juntos y relajarse sin haber provocado una escena desagradable. Éste es el poder de hacer el bien, y es un gran ejemplo de lo fácil que es hacerlo.

Tal vez más tarde, el hombre y su esposa tuvieron una conversación tranquila acerca de cómo les había ido el día y pudo decirle por qué estaba tan molesto, pero, para entonces, los dos permanecían tranquilos y eran más capaces de manejar la situación. Bastante a menudo, después de que nos calmamos, podemos ver la mayoría de los acontecimientos perturbadores con otros ojos.

Escoger armonía en lugar de caos

Esta toma de conciencia y aceptación se puede hacer en cualquier momento en que te sientas enojado, molesto, frustrado o triste. Tus emociones pueden ser intensas, pero son sólo campos de energía. Eres el único que puede elegir cómo te van a afectar: pueden arruinar tu día completamente o puedes optar por reconocerlas y liberarlas de una manera positiva.

Pero, ¿y si se trata de alguien con el que tienes una relación íntima, alguien de tu propia familia, el que te lleva de cabeza? En ese caso, no es que puedas echarlo de casa o cambiarte tú de casa, porque esa persona es alguien importante para ti. Y tampoco puedes cambiar a los demás; tan sólo puedes cambiarte a ti mismo. Depende por completo de la otra persona decidir si quiere cambiar o no. También ocurre lo mismo en la naturaleza: un pájaro es un pájaro y un pez es un pez. Un pájaro no puede convertir un pez en pájaro como, a su vez, tampoco puede un pez convertir un pájaro en otro pez. Pero nosotros, los seres humanos, damos por sentado que nos podemos cambiar los unos a los otros y eso puede causar un sufrimiento constante, interminable, en el seno familiar. Bueno, puede que pareciera que tenía que ser interminable hasta este momento.

Así que antes de que una discusión con un ser querido se te vaya completamente de las manos, cállate por un instante y dite a ti mismo (aunque sea sólo en pensamiento): «elijo la calma». Parece sencillo, ¿verdad? Pero si fuera tan fácil, ¿por qué no lo hace todo el mundo? Lo que yo he observado en mí es que, cuando alguien me molesta, en realidad, es un detonante para mostrarme algo de mí misma. Si estoy enojada con alguien, la ira es, en realidad, una energía que está dentro de mí, por lo que entonces me pregunto: «¿qué es lo que este arrebato ha desencadenado dentro de mí?, ¿qué necesito resolver para sentirme mejor?». Una vez que miro a la ira que hay en mí y la entiendo, entonces puedo liberarla, respirar profundamente y elegir la calma.

Cuando reconozcamos que, en el fondo, todos somos diamantes encubiertos –y ya sabemos el proceso que requiere ir destapando nuestras sucesivas capas y llegar a aceptarnos y querernos a nosotros mismos–, entonces podremos aceptar a los demás con mucha más conciencia y compasión. También podremos aprender a estar agradecidos a los demás por mostrarnos lo que tenemos que resolver dentro de nosotros mismos.

Es bueno recordar que nuestros seres queridos son tan dignos de compasión como nosotros. Ellos han tenido su propio cupo de sufrimientos, frustraciones y decepciones;

y probablemente están reaccionando desde el miedo y el dolor. Otórgales el beneficio de la duda y trata de reunirte con ellos a medio camino, para comprender su punto de vista y extender el amor hacia ellos.

Muchos trastornos familiares surgen porque alguien quiere cambiar a otra persona. Cada persona siente que su camino es el camino correcto y todos los demás deben estar de acuerdo. Pero tienes que aceptar que aquellos que quieres son diferentes a ti, después de todo, cada persona es única en el mundo. Pueden querer cosas diferentes, pero siguen siendo tu familia.

Cuando aceptamos esta regla de la naturaleza, «no puedes cambiar a nadie», y optamos por dejar de obsesionarnos con cambiar a otras personas y convencerles de nuestros propios puntos de vista, es la confirmación de que nos podemos dar permiso para dejarlo estar. Todavía podemos ofrecer apoyo, aliento y comprensión. Podemos ofrecernos a pagarles la terapia, la rehabilitación o el asesoramiento de su carrera –lo que les podría ayudar– pero, a fin de cuentas, todo aquel al que estemos intentando ayudar tiene que querer esa ayuda, o, sencillamente, la cosa no va a funcionar.

En ese caso, sólo sigue queriéndoles. Quiérete a ti mismo con todo tu corazón y quiérelos a ellos con la misma intensidad. Observa lo bueno que tienen dentro, en su fuero interno, observa su esencia, ese diamante que puede estar encubierto. Ten buenos pensamientos respecto a ellos y habla bien de ellos. Ten fe en ellos. Haz acciones positivas, pero no impongas tu voluntad. Esto es todo lo que puedes hacer, pero es poderoso. Más poderoso que gritar, eso seguro.

Lamentablemente, aunque hacer el bien es tan poderoso, no siempre funciona. En diversas ocasiones a través de los años, he vivido situaciones donde he tratado de ser positiva y hacer todo lo que estuviera en mi mano para trasmitir pensamientos positivos a determinada gente en mi vida. Pero algunas veces, no importa lo que hagas, esa persona podría aún escoger estar envuelto en su propia negatividad o ira y aferrarse a sus angustias del pasado.

Aceptar y distanciarse

Con el tiempo, te darás cuenta de que sólo tienes que aceptar que ésa es la forma de ser de algunas personas y que por muy buenas ideas, intenciones o acciones que pongas de tu parte, nada de eso hará que consigas que cambien. A partir de ese momento, tendrás que aceptar que esa persona no cambiará nunca y, siendo así, no podréis permanecer juntos ni siquiera mantener el contacto. Lo que yo he descubierto es que ese tipo de situaciones no son sanas para mí, desde el momento en que no puedo ser feliz en ese tipo de ambiente.

Siempre que tengas que desengancharte y separarte de una persona a la que has querido profundamente –ya se trate de un cónyuge, padre, hijo, hermano o un amigo– aparecerán sensaciones ingratas como la ira, el dolor, la traición, el reproche, la culpa, la desilusión y otras. Por arduo que pueda ser, tienes que mirar de cara esas emociones dolorosas, permitirte sentirlas y luego liberarte de ellas de forma positiva. Mantén el corazón abierto y con amor. Si deseas hacer el bien a ti mismo y a los demás, libérate con amor. Uno nunca sabe lo que el mañana le deparará.

El proceso de dejar ir y de cómo lo aceptas depende totalmente de ti. Sólo recuerda, no es egoísta elegir el bien para uno mismo, es necesario, y tienes la responsabilidad de escoger la mejor situación para ti y para los demás. No todas las relaciones interpersonales funcionan. Aun así, la mayoría de las veces, me he dado cuenta de que cuando escojo bien y la bondad se extiende a quienes están cercanos a mí, se efectúa un cambio positivo.

El poder de hacer el bien y compartir sentimientos sanos con aquellos que te rodean se ha demostrado. Gestos cariñosos, cálidos abrazos y una sonrisa feliz —todas éstas son cosas que hasta los niños más pequeños pueden entender—. De hecho, hace poco, vi un programa en televisión que ilustra esto de una manera bastante increíble.

En ese programa, había varios niños pequeños en una habitación con grandes muñecas acolchadas, como cojines, que estaban sentadas alrededor de ellos. Los niños estaban viendo un espectáculo en la televisión —un espectáculo con escenas en las que una serie de diferentes personas, de todas las edades y tamaños, se estaban dando abrazos amistosos, mostrándose calidez y afecto. Casi de inmediato, los niños en la sala comenzaron a abrazar a las muñecas que estaban con ellos. Rápidamente, detectaron lo que había que hacer e imitaban lo que habían visto.

Entonces, a medida que continuaban mirando, el mismo tipo de experimento se duplicó pero, esta vez, el espectáculo mostraba a personas de todas las edades golpeándose y pegándose entre ellas. Casi de inmediato, los niños comenzaron a imitar lo que veían en la televisión y empezaron a golpear y pegar a las muñecas de la misma manera que habían presenciado en el segundo programa.

Era bastante asombroso ver este experimento desarrollarse en estas dos direcciones tan drásticas. Me recordaba cuán importante es ser amable en todo momento; uno nunca sabe quién puede estar observando o de qué van a percatarse de tu comportamiento. Cuanto más practiques hacer el bien para ti y para tus seres queridos, más se convertirá en una forma de vida que abarcará todo eso y mucho más.

El sencillo poder que tiene un abrazo y una sonrisa se ha demostrado de muchas maneras. Cuando vi el espectáculo de televisión en el que los niños se abrazaron a las muñecas, se trasmitió semejante calidez a mi corazón y mi alma... Me recordó una historia que escuché cuando estábamos recibiendo tantos testimonios personales sobre el Día de las Buenas Acciones en Israel.

El poder de la energía positiva

Esta historia provino del despacho del Dr. Blum, cuando era el jefe del departamento de neurología en uno de los mejores hospitales de Israel. Su despacho, en realidad, se parecía más a la habitación de un niño que al consultorio de un médico. Docenas de osos de peluche de colores brillantes estaban repartidos por todas partes, en cada mesa, silla y estantería, incluso en su mesa de reconocimiento.

«Aquí, en el departamento, me llaman Dr. Osito de peluche», decía con una sonrisa. El Dr. Blum se ríe y sonríe mucho. «La risa es muy saludable», señaló. «En general, nuestro estado de ánimo, nuestra situación emocional y nuestra energía espiritual, bien equilibrados todos, tienen un gran efecto en nuestra recuperación. Eso es lo que aprendí cuando me decidí a estudiar medicina alternativa, además de medicina convencional».

Pero los osos de peluche, admite, fue una idea de su hija menor, Maya, de 16 años. «Nosotros hablamos mucho sobre mi trabajo en el hospital porque ella está muy interesada en el tema y está pensando en estudiar medicina. Un día me preguntó cuál era la etapa más difícil en el tratamiento de los pacientes y, sin pensármelo dos veces, respondí inmediatamente que la recuperación».

«Hay muchos casos en los que el tratamiento tiene éxito más allá de las expectativas, pero el paciente tiene una recuperación lenta y muy difícil», siguió explicando el Dr. Blum. «Juntos, hemos tratado de pensar cómo podemos ayudar a su recuperación y Maya dijo en una ocasión: "Necesitamos encontrar alguna forma de proporcionarles una recuperación energética que pueda quedarse en ellos durante mucho tiempo". Sugirió que *cargara* los osos de peluche con energía positiva y luego se los diera a los pacientes».

Así es como nació el proyecto «osos de recuperación». «Maya tenía una enorme colección de osos de peluche y decidió donarlos para el proyecto», recuerda el Dr. Blum. «Nos sentamos y meditamos juntos y trasferimos buena energía recuperativa a los osos. Y, entonces, los distribuimos por el hospital».

El Dr. Blum dice que la respuesta fue asombrosa. Los pacientes que recibieron los osos lograron una disminución en los niveles de ansiedad, un sueño más profundo y tranquilo y una recuperación más rápida. «Otras personas se enteraron de la "recuperación oso" y querían ayudar, así que comenzaron a donar osos y hoy podemos proporcionar una "recuperación oso" totalmente cargado de energía positiva a todos los pacientes del hospital», dice el hombre que se enorgullece de ser conocido como Dr. Oso de Peluche.

Si lo consideras, éste era un experimento bastante sencillo, ¡y funcionó! Una familia, la del Dr. Blum y su hija, demostró que la buena voluntad y la energía positiva tienen el poder de trasformar a todo aquel al que le llegue esa bondad. A medida que viajes por tu propio camino de bondad, vas a empezar a darte cuenta también de tu propio potencial.

Serás mucho más capaz de apoyar a tus seres queridos mientras siguen su propio camino hasta lograr alcanzar todo su potencial. En breve, te darás cuenta de que hacer el bien impregna cada aspecto de tu vida, enriqueciéndote a ti y a tus seres queridos, dando felicidad y una mayor vitalidad a los miembros de tu familia.

Nunca es tarde para curar viejas heridas

Estoy continuamente asombrada del poder de hacer el bien. He tenido motivos suficientes para darme cuenta de ese poder, aún más, cuando, en los últimos años, fui testigo del sufrimiento causado por la enfermedad de mis padres y de su fallecimiento. En 1999, perdí a mi padre, Ted Arison —cáncer, enfermedades del corazón y diabetes; en 2012, mi madre, Mina Arison Sapir, falleció de una enfermedad pulmonar crónica.

Los dos estaban viviendo en Israel, cerca de mí y de mi familia durante ese tiempo. Me encontré a mí misma en dos períodos diferentes, el primero, sentada al lado de mi padre, y luego, años más tarde, con mi madre, a la espera de informes médicos y resultados de pruebas, tratando de encajar noticias espantosas cuando había que trasladarlos de urgencias al hospital, con el corazón en vilo por cada llamada telefónica y con la agonía de ver a un ser querido sufriendo tanto.

Aun cuando eso fue tan estresante para ellos como para mí, estaba muy agradecida de haber tenido la oportunidad de estar allí para apoyarlos. A lo largo de nuestra vida, nunca tuve lazos de cariño ni de cercanía ni con mi madre, ni con mi padre; creo que eso fue a causa de la cultura en la que ellos crecieron, no eran personas que demostraban emociones profundas o afecto. Cuando crecí, y durante la mayor parte de mi vida con ellos, las emociones se mantuvieron fuertemente reprimidas. Pero, a pesar de nuestras diferencias, les respeté y les quise, y sé que ellos me querían a mí.

Es por eso que considero que es una bendición que, más tarde, en nuestras vidas, seamos capaces de superar el dolor, la ira, la falta de comunicación y las decepciones del pasado, y nos demos cuenta de que somos capaces de perdonar. Tuve la suerte de haber tenido la oportunidad de decirles todo lo que había en mi corazón antes de que fallecieran. Me siento bendecida de haber podido escucharles, mostrarles quién era realmente y, por último, disfrutar de una auténtica relación, profundamente unidos, aunque sólo fuera cerca del final.

Mi padre nos pidió que no le hicieran un panegírico después de su muerte; sin embargo, en el funeral de mi madre, decidí dedicarle uno. Hablé de sus muchos puntos fuertes y buenas cualidades, y también hice una reflexión acerca de los altibajos y la realidad de nuestras vidas. Hablé sobre cómo, después de años de haber estado distantes, llegamos a un punto donde se creó un sincero sentimiento de acercamiento –se formó un vínculo familiar–, que fue cálido y de amor.

Dije en su funeral que esto demuestra que nunca es demasiado tarde. Nunca es demasiado tarde para hablar, escuchar, entender y aceptar al otro. Nunca es demasiado tarde para perdonar. No fue un discurso fácil de pronunciar en un momento tan emotivo, pero ese día me sentí obligada a compartir nuestro complicado recorrido vital con nuestros amigos y familiares.

¡Estaba contenta de haberlo hecho! Resultó que, al compartir de manera tan honesta mis emociones, recibí comentarios increíbles de los que asistieron. Incluso semanas y meses más tarde, me enteré de gente a la que la bondad inmersa en nuestra historia le había llegado al alma, dándole la inspiración necesaria para poder tender la mano a los demás, y así conseguir resolver dolorosos asuntos familiares que venían de largo.

Así como he dicho desde el principio, cuando piensas bien, hablas del bien y haces el bien, trasformas tu propio interior. Y al hacerlo, tu bondad se extiende a las personas que te rodean.

Llevemos este principio al siguiente nivel: tus vecinos, compañeros de clase, compañeros de trabajo y cualquier persona con la que estés en contacto diario. El impacto de tu bondad lo siente cada una de las personas con las que te relacionas.

Capítulo cuatro

Hacer el bien en tu vida diaria

A medida que vamos creciendo y avanzamos a través de nuestra vida diaria, todos buscamos nuestro lugar en el mundo. Encontrar nuestro camino y descubrir nuestra auténtica vocación requiere todo un proceso vital. Sin embargo, tengo la firme convicción de que, haciendo el bien, podemos lograrlo definitivamente.

En muchos sentidos, la vida es como una orquesta. Cada instrumento es único, con su propia frecuencia, tono, registro y sonido. El violonchelo es un violonchelo, el piano es un piano, el violín es un violín... todos y cada uno de los instrumentos tiene su voz propia, única, que debe ser afinada cuidadosamente a intervalos regulares.

A continuación, los músicos deben respetarse mutuamente mientras interpretan la pieza musical, dejando que cada instrumento desempeñe su propio papel. Cuando los instrumentos están afinados y tocan con respeto hacia los demás, la orquesta produce una hermosa música. Pero si los instrumentos no están bien afinados o no se tocan al unísono, con todo el respeto, el resultado es simplemente ruido.

Podemos aprender del músico que, antes de unirse a la orquesta, afina el instrumento en silencio. Creo que en nuestra vida cotidiana, debemos afinar nuestro interior antes de tantear a los demás, así podemos asegurarnos de que nuestra voz y emociones son claras, correctas y sinceras, que estamos tocando nuestras notas, propias y auténticas.

Una vez que estamos en sintonía con nosotros mismos, al igual que los músicos, tenemos que ser conscientes de las otras personas que nos rodean, respetando su individualidad y sus creencias con el fin de que la armonía reine. Por otro lado, si nosotros no nos mantenemos en sintonía y no tratamos a los demás con respeto, no habrá nada más que ruido y caos en nuestros entornos diarios, ya sea en el trabajo, en la escuela o en casa.

De esta manera, depende de nosotros optar por crear el caos o la armonía en nuestras vidas. ¿Qué notas tienes que elegir para escuchar? ¿Eliges un duro ritmo de ira y odio o una suave melodía de amor y compasión? Debemos esforzarnos por escuchar de verdad y enviar una melodía personal que sea exacta, bella y respetuosa –una que pueda cambiar en nuestra vida diaria el ambiente de ruido por el de la música, del caos a la armonía.

Yo creo que nuestra búsqueda de un armonioso mundo comienza y acaba con hacer el bien. La bondad se extiende sobre nosotros, ampliándose en círculos, alcanzando, más allá de nosotros mismos y de nuestros hogares, a nuestros vecinos, compañeros de clase, compañeros de trabajo y a todas aquellas personas con las que estamos en contacto cada día.

Mientras realizas tus actividades diarias, ten en cuenta que hacer el bien no es sólo donar cosas materiales. Hay muchas y variadas formas de hacer el bien para uno mismo y para quienes te rodean. Una sonrisa, una palabra amable, un consejo meditado, un hombro para apoyar, un oído que escucha; ninguno de estos actos cuesta nada al donante, pero es probable que para el receptor valga mucho más de lo que imaginas.

Creo que todos nacemos con la bondad en nuestro interior y, enseguida, aprendemos de nuestros padres acerca del bien y del mal. Desde niña, quería hacer el bien y me daba cuenta de muchas injusticias en el mundo. No entendía cómo la gente podía ser tan cruel. Incluso en el patio de la escuela, no podía entender por qué todos los niños no se llevaban bien entre ellos. Como era de esperar, a lo largo de mi vida continué teniendo estas preocupaciones y todavía las tengo. Nosotros no vivimos en un mundo perfecto y, en nuestro interior, también hay una lucha constante. Bueno o malo, es nuestra elección.

Darse cuenta de lo que uno puede aportar

Si optas por hacer el bien, puedes encontrar tu lugar en la vida. Aquí está uno de los caminos que funcionó para mí. Hace muchos años, cuando al principio empecé a trabajar en el Consejo de una de mis empresas en Israel, me sentí muy cohibida. Me había formado en temas de ocio y en viajes de negocios, que me encantan, y en poner en marcha un pequeño negocio y también la fundación familiar. Sin embargo, me encontraba como un pez fuera del agua cuando estaba rodeada en la mesa por tantos financieros.

Al principio, me comparé con todos los demás en el Consejo, que estaban altamente cualificados en finanzas y que venían del mundo de los números. Me costó un tiempo encajar, pero al final me di cuenta de que no debía compararme con ellos. Cuando pasaban a los temas financieros, yo me aburría, pero ellos se animaban.

No obstante, cuando se trataba de hablar de la visión y la estrategia, sobre el cuidado de los clientes y la marca y sobre devolver algo a la comunidad, ¡ahí era cuando yo me animaba! Tenía tanto que ofrecer, estaba encantada de encontrar mi lugar en ese entorno. Y cuando empecé a implicarme en estas cosas y hablé acerca de la visión, la mayoría de la gente en la mesa no entendía la importancia de la visión y los valores.

Fue entonces cuando me di cuenta de que no necesitaba ser como ellos. Lo que yo podía aportar era muy distinto a lo que ellos podían aportar, y aun así era parte fundamental del cuadro general. En aquel tiempo comprendí que cada uno de nosotros tenemos un lugar donde podemos utilizar nuestros propios talentos, únicos, para el mayor bien común. La vida es como un gran rompecabezas del que cada uno de nosotros forma parte. Cada pieza del rompecabezas es única en tamaño, forma y color. ¡No puedes decir de qué trata el rompecabezas hasta que no ves todas las piezas colocadas juntas y, entonces, aparece la imagen completa!

Como esas coloridas piezas del rompecabezas, todas las vidas son diferentes. Mi vida en el trabajo gira alrededor de los negocios y las empresas filantrópicas, que trato de equilibrar con el tiempo en familia y mi vida personal. Otras personas pueden trabajar como mineros o cocineros, agricultores o profesores, científicos o estudiantes; o pueden ser empleados en ventas al por menor, en atención a la salud o trabajar en casa como padres o cuidadores; la lista de las profesiones y trayectorias vitales para elegir en este mundo es interminable.

Hay muchas maneras de descubrir tus talentos singulares y tu propio camino en la vida, pero ¿por qué no empezar haciendo el bien? Intenta pensar por ti mismo para encontrar dónde encajas. No todo el que tiene talento para la música está obligado a ser concertista, especialmente si resulta que sufre de miedo escénico. Pero, sin duda, podría convertirse en maestro de música, por ejemplo.

¿Qué imagen de ti es la que deseas proyectar?

Mientras te dispones a descubrir tu propio objetivo, piensa acerca de los múltiples encuentros inesperados que se producen durante tu rutina diaria. Fíjate bien en el reflejo que percibes de esa imagen: ¿es ésa la imagen que quieres que el resto del mundo tenga de ti? ¿Es eso lo que deseas ver en el mundo? Si no es así, debes revisar tus alternativas y analizar qué es lo que necesitarías corregir para, así, ir a la par con todo el potencial del que eres poseedor.

Creo que tú también puedes encontrar tu verdadera pasión y talento, tu lugar en la orquesta de la vida. Tu pasión y talento no están tanto vinculados a tu educación como a tus elecciones. Tú tienes la última palabra en cuanto a cómo te ven en tu esfera laboral y en tus actividades cotidianas. Pregúntate a ti mismo: «¿qué es lo que me entusiasma más? ¿Qué es lo que me hace sentir que estoy creciendo como persona? ¿Hacia dónde quiero que vaya mi camino en la vida?».

En tu vida diaria, tienes una oportunidad maravillosa de descubrir formas para desarrollar plenamente tus pasiones y habilidades. Cuando encuentras un camino que te gusta, puedes vivir, estudiar o trabajar con el sentimiento de sentirte realizado; es algo por lo que tienes que luchar. Y creo que hacer el bien es una manera de agregar valor añadido a todos los aspectos de tu vida, y puede guiarte hacia metas que son más grandes de lo que tú eres. Cuando eliges pensar bien, hablar del bien y hacer el bien permanentemente, todos los aspectos de tu existencia diaria mejoran.

En mi vida diaria, he sido capaz de integrar la práctica de hacer el bien en mi vida familiar y en todos mis negocios y actividades filantrópicas. Disfruto al ser capaz de inspirar a otros a través de estas actividades y de ser un ejemplo para la gente de cómo pasar a la acción y hacer el bien de verdad puede tener un impacto decisivo en el mundo.

Muchas personas eligen optar por acciones positivas. Una historia que me gustó particularmente fue la de Keren, quien había sido contratada por una gran empresa de alta tecnología. Trabajaba muchas horas y, durante la semana, se dedicaba por completo a su trabajo.

Pero los fines de semana, Keren se dedicaba a su proyecto especial: pasteles de ensueño. «Desde que era una niña, siempre me ha gustado hornear», me dijo en una ocasión. «Pero en los últimos años, me he dado cuenta de que estaba haciendo más pasteles de lo que mis familiares y amigos podían comer. Todo el mundo decía que debía convertir mi repostería en un negocio, pero nunca quise vender mis pasteles. Desde mi punto de vista, los había hecho con amor, y uno no puede comprar ni vender amor».

Al final, Keren se puso en contacto con una fundación que se ocupa de niños con necesidades especiales y se ofreció a hacer un pastel especial para el cumpleaños de cada niño, su pastel de ensueño.

«Cuando visité la fundación, pregunté a cada niño cuál era su pastel de ensueño. ¿Chocolate? ¿Fresa? ¿Vainilla? ¿Querían un pastel en forma de hada o una pelota de fútbol? ¿De qué color? ¿Qué tamaño? Luego, quería hacer exactamente el pastel que me describían. Así, cada niño vería cumplida una fantasía y sería único y especial. A los niños, realmente, les encantó y siento que fui capaz de encontrar, por fin, qué hacer con mi pasión».

Como puedes ver, hacer el bien puede ser mucho más que un pasatiempo o una actividad anual. Cuanto más lo practiques a diario, más se convertirá en una forma de vida. Sé que esto sucede porque he oído miles de historias como ésta de personas en todo el mundo.

La bondad te trasforma internamente y, dado que tu bondad se propaga a todos con los que estás en contacto, disfrutarás de una vida más armoniosa.

Siguiente paso: tomamos este principio de pensar bien, hablar del bien y hacer el bien y lo ampliamos aún más, mostrándote cómo lograr que tu bondad alcance a tu comunidad y a tu país.

Capítulo cinco

Hacer el bien a tu comunidad y a tu país

Una de las grandes lecciones de mi vida fue la que aprendí durante mi educación sobre la comunidad y el país. Como ciudadana tanto de Estados Unidos como de Israel, muchas veces sentí que no pertenecía a ningún sitio. Pero, a pesar de eso, crecí con los valores morales de que, dondequiera que vivas y trabajes, es importante hacer una contribución, corresponder a tu comunidad, y comprender que se es parte vital de la misma. Todos podemos hacer algo, poco o mucho. Es cuestión de cada uno hacer lo que pueda. Me inculcaron esto a una edad muy temprana y nunca lo he olvidado.

Sea cual sea el tamaño de tu comunidad en particular, no importa. Puedes ser parte de una tribu, un clan o una minúscula aldea; es posible que seas de un pueblo pequeño o de una gran ciudad o de una isla remota rodeada por la inmensidad del mar. Cualquiera que sea la dimensión y la estructura de la comunidad que identificas como tu hogar

57

es responsabilidad tuya apoyar el lugar en el que trabajas y vives.

Es por ello que en todos nuestros negocios, Arison Investments pone el empeño en aportar valor añadido a la gente y a la sociedad en general, esforzándose en especial en tener una influencia decisiva, de cambio, en todos los países del mundo donde desarrollamos operaciones mercantiles o tenemos inversiones. Consideramos todos nuestros proyectos desde una perspectiva social, económica y medioambiental, siguiendo prácticas acordes a nuestros valores en todo lo que hacemos.

Estamos tan centrados en nuestras actividades filantrópicas, que promovemos un cambio importante dentro de nuestras comunidades y nuestro país. Décadas atrás, creé la fundación familiar para mi padre en Miami, con el fin de facilitar las donaciones y, cuando me mudé, creé también una organización similar llamada Ted Arison Family Foundation (TAFF), con sede en Israel. Al responder a los requerimientos de la comunidad, mediante la TAFF llevamos a cabo inversiones en válidos proyectos sociales en Israel, en los ámbitos de educación, salud, discapacidades, cultura, artes y deportes. Además, la TAFF está profundamente comprometida en el apoyo a nuestros jóvenes y en la asistencia a las poblaciones en riesgo.

A través de la TAFF, también hemos creado varias empresas visionarias, como Matan (Your Way to Give) (Tu manera de dar), que se inspira en la United Way. Al fundar Matan, nos convertimos en un catalizador para las donaciones corporativas, alentando a las empresas y a los empleados a hacer donaciones con el fin de satisfacer las necesidades de sus comunidades, creando de esta manera una cultura de la donación que no había existido en Israel antes de esa fecha.

Otra iniciativa es Essence of Life, que ya he mencionado. Dicha iniciativa procede de mi visión de que para alcanzar la paz mundial, cada uno de nosotros necesita alcanzar, primero, su propia paz interior. Essence of Life es una organización que esparce semillas de conciencia y da herramientas para alcanzar la paz interior a través de un enfoque amplio y holístico.

Las semillas de las buenas acciones

A través de la fundación de la familia, adoptamos una maravillosa organización llamada Ruach Tova (Good Espirit) (Buen espíritu), que conecta a las personas que quieren ser voluntarias con organizaciones que necesitan voluntarios. En Israel, se anima a sus ciudadanos a ser voluntarios, así, los visitantes de otros países que lo deseen pueden participar en el trabajo comunitario mientras visitan Israel.

Ha sido a través de Ruach Tova que se ha gestionado el Día de las Buenas Acciones en Israel y ha ganado en popularidad hasta convertirse en el Día Internacional de las Buenas Acciones. Gracias al éxito del Día de las Buenas Acciones, vi la oportunidad de crear Goodnet, un innovador centro *online*, del que voy a hablar más adelante en este libro.

En Israel, veo que se están haciendo muchas buenas acciones y, cuando viajo, sé que hay mucha gente bondadosa en este mundo que realmente se preocupa. Por ejemplo, en un reciente viaje que realicé a la ciudad de Nueva York, vi anuncios pidiendo voluntarios para ayudar a limpiar la basura en Central Park. Hacer este tipo de cosas no cuesta dinero, sólo se necesita el deseo de hacer el bien.

Hay muchas razones para hacer el bien, pero a veces la gente simplemente se encoge de hombros y dice, «¿qué podría cambiar?, sólo soy una persona». Pero eso no es así, cualquiera puede provocar un cambio.

Tal vez has oído la famosa historia acerca de la estrella de mar que se inspira en los escritos de Loren Eiseley.[1] Según esta historia, había una vez un hombre mayor que una mañana caminaba a lo largo de la costa cuando vio a un hombre joven más adelante. Al alcanzarle, pudo ver que el joven se agachaba, una y otra vez, recogía estrellas de mar de una en una y, suavemente, las echaba al océano.

El hombre le preguntó al joven: «¿Por qué estás haciendo eso?». El joven respondió que el sol estaba saliendo y había marea baja. Si no las echaba al mar, morirían. El hombre de más edad se apresuró a señalar, «Pero, ¿no te das cuenta de que hay kilómetros de playa y miles de estrellas de mar a lo largo de ella? ¡Así no vas a cambiar mucho las cosas!». El joven escuchó educadamente y, a continuación, se agachó para recoger otra estrella de mar y la lanzó al mar, diciendo: «Bueno, ¡por lo menos a ésta sí que la ha ayudado»!

También tú puedes hacer que las cosas cambien. Hay tantas maneras de aportar a tu comunidad y a tu ciudad, te animo a elegir algo que te guste hacer. Mira lo que necesita tu comunidad y hazlo. Puedes hacerlo invirtiendo tu tiempo en el voluntariado o haciendo una donación. Incluso si no estás interesado en ser voluntario o no tienes dinero

---

1. Loren Eiseley (1907-1977) fue un antropólogo, escritor científico y poeta norteamericano. Publicó ensayos y artículos de ciencia durante casi tres décadas. Su estilo combinaba las exploraciones científicas con un sentido profundo del humanismo y de la poesía. Entre sus libros más famosos están: *The Immense Journey* (1957), *Darwin's Century* (1958) y *The Unexpected Universe* (1969). *(N. de la T.)*.

extra para donar a una causa, hay muchas maneras de hacer el bien por tu cuenta, como recoger y tirar basura que veas, mantener la puerta abierta a la persona que venga detrás de ti o levantarte de tu asiento en el autobús para dejar sentar a alguien.

Dejar huella en la vida de los demás

Cuando pienso en hacer el bien a comunidades y países, me quedo embelesada, cada año, ante la creatividad de la gente para inventarse tantas maneras de hacer el bien. Muchas iniciativas en nuestro propio país y en otros lugares del mundo traspasan las fronteras culturales, lo que me resulta muy apasionante.

Una experiencia conmovedora que nunca olvidaré fue ver las caras de un grupo de ancianos supervivientes del Holocausto al oír las primeras notas de un concierto especial para ellos. Un esfuerzo conjunto de distintas culturas: un coro de los territorios ocupados, unidos por su banda y director de orquesta, había cruzado la frontera y llegó a Israel para actuar ante los supervivientes del Holocausto. El grado de emoción y positividad que se extendió a través del público fue increíble. Los medios de comunicación internacionales que estuvieron presentes tampoco pudieron contener sus sentimientos, ¡todo el mundo estaba profundamente emocionado por la efusión de amor y bondad que se respiraba en el ambiente!

En otra comunidad, niños árabes y judíos trabajaban juntos para embellecer su entorno. Los estudiantes de las dos escuelas colaboraron para crear conjuntamente una obra de arte *abierta*, pintando el largo muro que separaba los barrios colindantes. Los jóvenes decoraron la pared con consignas de paz en hebreo y en árabe. Los corazones se fueron aproximando, las amistades se formaron y ese día una noción se inculcó: que ningún muro puede separar a las personas que están unidas en hacer el bien.

Finalmente, otro recuerdo vívido que tengo es la mirada en los ojos de una mujer cuando sostenía mi mano mientras caminábamos juntas para ver un proyecto del Día de las Buenas Acciones en Jerusalén. «Nadie nos prestó nunca la menor atención, nadie se acerca por aquí», me dijo seriamente. «Es la primera vez que alguien se preocupa por nosotros. ¡Mira qué está pasando hoy!», exclamó, y señaló hacia un gran grupo de personas que estaban limpiando y restaurando el deteriorado barrio. «Estamos trabajando todos juntos, vecinos, soldados y voluntarios de organizaciones juveniles. No es la pintura o las herramientas que ellos trajeron lo que permitió que todo esto ocurriese, es su cautivador espíritu de hacer el bien».

Por supuesto, no es sólo en este día y no es sólo en un país, sabemos que buenas obras personales y colectivas ocurren durante todo el tiempo en todo el mundo. Todos los días en nuestras comunidades, a medida que avanzamos en nuestra vida cotidiana, vemos a gente realizando actos de bondad. ¿Por qué, entonces, cuando vemos las noticias no se refleja realmente nada de esta compasión o bondad?

De hecho, demasiado a menudo es todo lo contrario... y aquí es donde nuestra historia se va centrar a continuación: en explorar todas esas vías por las que se nos refleja el mundo en el que vivimos y en qué podemos hacer para que la bondad se ponga de manifiesto.

Capítulo seis

Reflexiones sobre hacer el bien

Cuando vemos cualquier programa de noticias o abrimos un periódico, la mayoría de las veces nos bombardean sólo con malas noticias –reportajes de guerra, caos, violencia, desastres y tantos otros tipos de situaciones desgarradoras–. Creo que a muchos de nosotros nos marca profundamente, a nivel personal, lo que vemos reflejado en los medios de comunicación; es muy fácil ver cómo la gente puede volverse miedosa y deprimida.

Siempre pensé que se suponía que las noticias nos mostraban nuestras verdaderas vidas y nuestra sociedad. Pero, realmente, ¿es así? Las noticias nos muestran muchas cosas malas, ¿pero acaso todas las cosas en nuestro mundo son malas? No, por supuesto que no. Cada día nos encontramos con personas que son serviciales y amables –aquellos que arriman el hombro para ayudar cuando lo necesitamos–; nos relacionamos con profesionales como médicos y bomberos que están ahí para ayudar a la gente y a la sociedad cada día. Definitivamente, nuestro mundo no es tan deprimente y desesperanzador como los medios de comunicación nos quieren hacer creer.

Algo muy común es que muchos de los hombres y mujeres que trabajan en los medios de comunicación tienden a inclinarse por titulares negativos e historias sensacionalistas cuando informan sobre los acontecimientos que están sucediendo en nuestro mundo. Estoy de acuerdo en que el contenido de nuestros periódicos y de nuestras emisoras de radio podría ser mejor, pero no podemos culpar únicamente a los periodistas, a los editores de los noticiarios o a las emisoras; sólo están mostrando lo que creen que conseguirá los mejores índices de audiencia o de ventas. Nosotros somos los que leemos, vemos y escuchamos las noticias y, como padres, tal vez, seguimos permitiendo que nuestros hijos vean algunos programas, incluso si ponemos en duda sus valores.

Lo que, en verdad, nos lleva a una cuestión de responsabilidad mutua: los medios de comunicación y todos nosotros, juntos, somos responsables de mejorar la situación y elevar la calidad de lo que se escribe en el periódico, se escucha en la radio, se ve en la televisión o en Internet. En vez de echar la culpa y quejarnos, nos compete a nosotros mismos exigir unos estándares más altos en los contenidos y la programación si no queremos continuar siendo miedosos, tristes y depresivos.

Personalmente, hace unos años, realicé una elección consciente, la de dejar de leer los periódicos y ver las noticias porque me angustiaba. Me sentía abatida y sin energía. Cuando acostumbrar a leer y ver las noticias cada día, con todo ese drama y ese caos, me sentía incapaz de crear el mundo en el cual prefería vivir. Por supuesto, como soy una mujer de negocios, recibo un informe diario de lo que está pasando, pero de una manera objetiva. Así que sé lo que los mercados están haciendo y lo que está ocurriendo en el mundo, pero sólo lo más destacado y los hechos, sin todo ese sensacionalismo.

Intentar conseguir medios de comunicación que sean más alentadores

Cuando fui capaz de pensar con claridad, me pregunté cómo podría empezar a ayudar constructivamente a crear un mundo mejor, en relación a la cobertura de los medios de comunicación. Lo que quería hacer era tratar de mostrar a la gente que trabajaba para los medios de comunicación cómo podían reflejar y crear un mundo mejor a través de reportajes y desarrollando programas para periódicos, televisión, radio e Internet que fueran más positivos y edificantes de lo que estamos acostumbrados a ver.

Porque al tener claro que los medios de comunicación constituyen un enorme grupo de presión para crear un cambio, y porque quería encontrar una manera de ayudar a la gente de los medios de comunicación, fundé el Centro Shari Arison para la Comunicación Consciente,[1] en el Centro Interdisciplinario (IDC) de Hertzliya, con el objetivo de informar más positivamente o, por lo menos, de una manera más equilibrada.

Dentro de su programa, los estudiantes aprenden todos los conceptos básicos sobre los medios de comunicación

---

1. Shari Arison Center for Communication Awareness, en el original. *(N. de la T.)*

capacitándose para prensa, radio, televisión e Internet, pero en el centro queremos ofrecer a los estudiantes algo extra para ayudarles en sus carreras y en sus vidas. Les ofrecemos la toma de conciencia y las herramientas que necesitan para crear una programación que refleje mejor el mundo positivo que a todos nos gustaría ver.

El Centro para la Comunicación Consciente también se dirige a los periodistas y escritores que trabajan dentro del campo de los medios de comunicación, con el fin de promover la idea de que los propios medios tienen toda la capacidad para poder crear su propio futuro. Nosotros preguntamos a los estudiantes y a la gente de los medios qué es lo que quieren que sea nuestro futuro colectivo y cómo pueden ayudar a crearlo. Los estudiantes también decidieron comprometer a los profesionales que trabajan en ese ámbito a convertirse en jueces o en mentores de sus proyectos estudiantiles, de este modo, implicamos a todos en el reto de crear más tipos de información y programaciones más interesantes y que promuevan el pensamiento.

Cada año los estudiantes crean proyectos basados en un tema diferente. Algunos de ellos eligieron retar al público, a través de Internet, a participar mediante el envío de videoclips. Un año el tema fue la sostenibilidad y la llamada «Eco Clip», por lo que se presentaron una serie de vídeos que ponían de manifiesto formas diferentes de preservar el medio ambiente. El compromiso con los estudiantes y con el público fue muy alto dado que miles de personas se involucraron en el envío de ideas y clips.

Este año, bajo el lema de «Unidad» se realizaron muchos proyectos inspiradores en el centro que tenían como objetivo mostrar de manera creativa cómo todos estamos conectados. Fue maravilloso ver las presentaciones de los estudiantes, uno de mis favoritos se titulaba «Gigglers.tv.» («Risitas»).

Los estudiantes que crearon Gigglers.tv lo organizaron como un canal de vídeo *online* que presentaba cientos de videoclips de gente riéndose de todo el mundo. Para ponerlo en marcha, los estudiantes buscaron los vídeos más divertidos en la web y editaron las risas más divertidas en clips de diez segundos. La plataforma anima a los usuarios a subir sus propios vídeos de gente riendo y compartiendo risas concretas con los amigos.

La intención de Gigglers.tv era mostrar cómo la risa es un lenguaje universal, que atraviesa todas las fronteras, y reforzar el hecho comprobado de que la risa tiene efectos terapéuticos sobre la mente y el cuerpo. El lema de este grupo es difundir la risa y convertir el mundo en un lugar más feliz.

Otra producción fabulosa de los estudiantes del centro fue una centrada en un inodoro. El vídeo se hizo de una manera creativa y dramática para mostrar que, aunque sólo una persona está involucrada en este sencillo, privado acto diario, realmente se necesita toda una serie de gente para crear todos los elementos necesarios, que van desde la construcción del cuarto de baño a la instalación de las cañerías y la gestión de los sistemas de agua. Si bien puede parecer un acto personal, el vídeo mostraba cómo muchas personas en el mundo estaban realmente involucradas en la fabricación de los paneles de yeso, los azulejos, el inodoro y el papel higiénico; cuántos más estaban involucrados en la fabricación y la instalación del desagüe y la instalación de cañerías y, cómo, asimismo, otros se implicaron en los sistemas de alcantarillado y plantas de tratamiento de agua.

En realidad, nadie piensa en todas estas interconexiones que se relacionan con el acto de usar un inodoro, así que me pareció que el análisis que los estudiantes hicieron de ello era simplemente fascinante. El vídeo, de corta duración, muestra claramente cómo todos estamos conectados a través de la más simple de las actividades diarias.

Buscar una perspectiva más equilibrada

Nuestro objetivo final en el centro es fomentar un cambio en los medios de comunicación para conseguir la representación de una mirada más equilibrada del mundo. Nos gustaría que todo el mundo viera todas las noticias bajo una buena luz, aunque ya sé que esto suena un poco loco. Y no estoy hablando sólo de las «buenas noticias» que, a menudo, son del tipo de historia conmovedora que se ve durante los dos últimos minutos de un noticiero normal, y así pueden decir que dicho noticiario termina con una nota positiva. No, estoy hablando de tratar de considerar todas las noticias y los acontecimientos de nuestro mundo de manera que ayude a las personas a entender cómo se pueden encontrar soluciones. Queremos ilustrar cómo podemos crear el futuro que todos, colectivamente, queremos ver: un futuro positivo para todos nosotros.

Nos llevó unos años, pero ahora estamos notando que la gente en los medios de comunicación que ha estado interactuando con nosotros en el centro está empezando a dejar de lado su cinismo y *subiéndose a bordo* con un nuevo estilo de reportajes inspiradores y edificantes, de manera más colectiva y positiva.

Esto no es simplificar demasiado las cosas. No estoy diciendo que tenemos que contemplar la guerra de manera positiva. Todos sabemos que eso no va a funcionar. Pero si consideramos la realidad de la guerra, lo que provoca en un país y en un pueblo, y usamos ese conocimiento para obtener de cada uno de nosotros que pensemos y nos preguntemos de verdad, «¿es esto lo que quiero ver en mi mundo, toda esta destrucción y violencia?». Si no es así, entonces, tenemos que ahondar más en nosotros mismos, entender nuestro conflicto interno y cómo se refleja en el mundo, para que podamos ver qué acciones podemos tomar individual y colectivamente con el fin de crear una realidad mejor.

A veces, ni siquiera es el conflicto en sí mismo el que nos preocupa, sino el miedo que sentimos cuando oímos hablar del conflicto que está a punto de suceder, como si se dijera a la audiencia, una y otra vez, que las tensiones están aumentando en este o aquel país, las amenazas terroristas están creciendo o el nivel de violencia es mucho más alto que el del año anterior. Nosotros, como población colectiva, comenzamos a preocuparnos más y más, a obsesionarnos con historias y nos consumimos con pensamientos de violencia latente, porque eso es todo lo que estamos viendo en las noticias. No estoy hablando de hacer caso omiso de las guerras y la violencia, sino de cómo podemos conseguir que estas situaciones deriven en una discusión más positiva en busca de soluciones también positivas.

Por último, a través de nuestros esfuerzos en el Centro para la Comunicación Consciente, estamos ayudando a más gente de los medios para que se den cuenta de que tienen una elección. Le estamos pidiendo a cada uno de ellos que consideren la posibilidad de no escribir tanto «en contra de» las cosas, sino de que escriban «a favor» de las cosas que son verdaderamente importantes, desde el punto de vista de que tenemos el poder colectivo para crear aquello que queremos ver en el mundo.

Llegar a ser una particular fuente de inspiración

Conozco muchísimas historias que hacen que se te levante el ánimo. De entre las que surgieron cuando animamos a la gente a que compartieran con nosotros sus propias experiencias haciendo el bien en aras del bien de todos, destacaba la de un hombre de negocios llamado Ron, el cual hizo uso de su poder de hacer el bien para dar lugar al cambio que él quería que se produjera. Ron conduce un autobús y, cuando lo aparca en el estacionamiento de la única escuela de su ciudad natal, los niños le rodean con gritos de alegría, casi como si se tratara del camión de los helados. Pero este autobús no tiene asientos, ni chocolate o vainilla; en su lugar, contiene un sofisticado, brillante laboratorio de ciencias.

«Ésta fue mi escuela», nos señala Ron con la mano. «Nosotros no teníamos ordenadores o clases prácticas de ciencias, porque nunca hubo suficiente dinero para instalar laboratorios o comprar equipos informáticos».

Ron se interesó por los ordenadores cuando era muy joven. Dado que su escuela no podía proporcionar herramientas para el aprendizaje, se iba tres veces a la semana a una ciudad más grande, por lo que debía coger dos autobuses en cada sentido. De este modo pudo estudiar informática y matemáticas en un programa de perfeccionamiento de la universidad.

«Mi madre me crio sola y tenía dos trabajos, pero la educación siempre fue lo más importante en nuestra casa. En los cumpleaños y vacaciones, nunca tuve una bicicleta o ropa nueva, sino libros nuevos», recuerda Ron.

Ron resultó ser un estudiante dotado. Para cuando tenía unos 30 años, se había convertido en un enérgico empresario de gran éxito. «Para mi gran felicidad, ahora tengo tiempo y dinero suficiente para ser capaz de aportar algo a la comunidad donde crecí. Compré este viejo autobús y lo convertí en un laboratorio móvil y, una vez al mes, me tomo un tiempo libre en el trabajo y traigo conmigo a varios profesores que también contribuyen con su tiempo y sus conocimientos.

«Venimos aquí y pasamos tres días con los niños. Es tan agradable verlos abrirse a las maravillosas posibilidades que proporciona la ciencia», continúa diciendo con una chispa de alegría. «A todos ellos les digo que si perseveran y ponen todo su esfuerzo, un día estaré encantado de poder darles trabajo en mi empresa».

Por la noche, después de limpiar y ordenar el autobús, al final de otro día de trabajo, se va para ir a ver a su madre, que todavía vive en la misma casa donde se crio. «Ella es la mayor seguidora del programa, pero bien podría ser que fuera porque le da la oportunidad de mimarme durante tres días seguidos cada mes», dice sonriendo. Y Ron añade con orgullo: «Le he dedicado el laboratorio a ella. En el autobús están escritas las palabras «The Sarah Cohen Mobile Laboratory» (El laboratorio móvil de Sarah Cohen). Nunca podría haber llegado donde estoy hoy sin el apoyo de mi madre».

Ron se crio en un hogar modesto, pero sacó el máximo provecho de cada oportunidad. Él no protestó en las calles por la falta de financiación de las escuelas para las ciencias ni se quejó vehementemente al gobierno de que debían «hacer algo» acerca de la situación. En vez de eso, Ron se preguntó a sí mismo, «¿Qué puedo hacer personalmente para mejorar el aprendizaje medioambiental de los estudiantes de mi pequeño pueblo? ¿Cómo puedo motivarles el

interés por la ciencia para que sea una opción profesional?».
Combinó sus recursos y se tomó tiempo de su propia vida
para ofrecer inspiración de una manera divertida y emocionante a niños que, de otro modo, tal vez, no hubieran tenido la oportunidad de contar con una experiencia práctica
de laboratorio.

Historias positivas como la de Ron suceden en comunidades de todas partes, ya que la gente hace todo lo posible para convertir el mundo en un lugar mejor, de alguna manera concreta. Pero los medios de comunicación no
siempre nos presentan el panorama completo de nuestro
increíble mundo. La próxima vez, cuando tu comunidad
o tu país se encuentren ante una situación crítica, intenta
pensar de una forma alternativa, no basada en el miedo y
la protesta, que te posibilite buscar una solución que quizá
sea de lo más innovadora.

Cuando pienses bien, hables del bien y hagas el bien,
tu bondad creará ondas expansivas, del mismo modo que
lo hizo la de Ron, y provocarán un cambio que, probablemente, será aún más impresionante de lo que hayas podido imaginar nunca. Sólo se necesita un acto pequeño para
cambiar el mundo.

#71 01-12-2015 5:57PM
Item(s) checked out to p10101202.

TITLE: Activa tu bondad : trasformar el
BARCODE: 1440002162569
DUE DATE: 02-02-15

Basalt Regional Library
927-4311   www.basaltlibrary.org

CAPÍTULO SIETE

Hacer el bien a la humanidad

A veces parece que todos estamos en guerra entre nosotros, pero ¿sabes una cosa? Si la Tierra fuera repentinamente invadida por otro planeta, entonces, espero, rápidamente nos daríamos cuenta de que nosotros, como humanos, estamos unidos. Las fronteras geográficas, la lucha de poder entre naciones, la tensión entre las razas... todo palidecería en comparación con el enemigo común y nos enfrentaríamos a ello al unísono.

Espero sinceramente que no necesitemos ese tipo de situación catastrófica para hacer que todos nos demos cuenta de que estamos juntos en este mundo. Es cierto. Durante mucho tiempo, he creído que todos estamos conectados, cada alma viva en esta Tierra, en este momento, está conectada entre sí. Todos somos uno. No estoy sola en esta creencia, muchos filósofos, humanistas y líderes a lo largo de la historia también lo creen.

Espero que mis palabras también te estén ayudando a sentir esto –sentir esta conexión con toda la humanidad–. A lo largo de este libro, he estado describiendo muchas maneras de cómo estamos conectados y de cómo la bondad se expande desde cada uno de nosotros cuando la activamos. Pero todavía hay, por supuesto, oscuridad en el mundo. Esto se convierte en algo que es difícil de conciliar y de saber qué hacer con ello, no obstante, te explicaré cómo yo lo veo.

Yo creo que hay un punto de inflexión con toda esta energía en el mundo y me doy cuenta de que puede ir en cualquier dirección. Hay energía positiva y negativa, y la gente dirá que esto es un hecho: siempre habrá una lucha entre el bien y el mal y nunca se inclinará por completo en una dirección. Sin embargo, estoy convencida de que podemos mover el punto de inflexión en la dirección que queremos que vaya. Podemos moverlo más rápidamente hacia el bien si seguimos creando una masa crítica de gente que hace el bien, elige bien y piensa bien. Una vez que eso ocurra, repentinamente, veremos un mundo diferente.

El desafío es que, en verdad, tenemos que hacer un esfuerzo para mantener buenos pensamientos y buenas acciones como nuestra primera prioridad porque la bondad, por su propia naturaleza, es más sutil, suave y tranquila, frente a la maldad, que es mucho más una especie de ¡toma, un puñetazo en la cara, con un montón de drama y poder!

Hacer que este mensaje llegue a las masas

Para asegurar un buen futuro para nosotros, es decir, bueno para toda la humanidad, necesitamos una masa crítica de gente que haga el bien. Después del primer Día de las

Buenas Acciones, me di cuenta de que nos dirigíamos en la dirección correcta. Pude ver cómo el éxito aumentaba cada año, con más y más gente saliendo por la calle a hacer el bien.

Para construir sobre estos puntos fuertes y aprovechar el poder de Internet, nosotros, en Arison, decidimos desarrollar y poner en marcha la página web **Goodnet.org** (Goodnet, para abreviar). Goodnet fue diseñada para ser el portal de hacer el bien, el primer y único portal de esta clase. Goodnet inspira y capacita a los usuarios, independientemente, a tomar acciones positivas, en cualquier momento, en cualquier lugar y en cualquier ámbito de interés que esté más próximo a sus corazones. La página web conecta a todas las personas y organizaciones que están haciendo el bien con el fin de crear una masa crítica mucho más rápido.

En nuestra planificación y desarrollo de Goodnet, nuestro equipo examinó dos hechos principales. El primero fue que hay muchas personas en todo el mundo que comparten el deseo común de hacer el bien. Y el segundo: que hay un enorme número de organizaciones e iniciativas que realizan un buen trabajo durante todo el año y que están buscando socios y participantes. Parecía haber un interés en compartir, discutir e intercambiar ideas sobre hacer el bien, así que hemos querido ofrecer un canal para este tipo de conversación.

La web otorga valor a la colaboración en lugar de a la competencia, por lo que en el «Good Directory» («Directorio del bien») hay espacio para todo tipo de organizaciones, sitios web de empresas sociales y aplicaciones en diversas categorías: voluntariado y recaudación de fondos, nutrición, derechos humanos y mucho más. Hay espacio para que todos colaboren.

Ahora damos a conocer más de 500 organizaciones en el «Good Directory», y no cabe duda de que existe un sentimiento generalizado de gran voluntad para aunar fuerzas y generar un mayor movimiento encaminado a hacer el bien y atraer a más personas a este anhelo. El argumento de base es que hacer el bien es fácil y si hacemos el bien juntos podemos crear un cambio positivo.

En muy poco tiempo, organizaciones e individuos se han conectado para activar su bondad. ¡Ahora es tu turno! Antes de pasar a la página siguiente, visita **www.goodnet. org** y activa tu bondad. Es fácil, rápido y poderoso; al hacerlo, con un simple clic, añadirás tu voz y esfuerzos a la causa del bien en este mundo. Ya estás conectado a todos los demás por el simple hecho de que perteneces al género humano. ¡Ya estás haciendo actos de bondad!

Al unirte a Goodnet, podrás demostrar que estás conectado y comprometido con un mundo lleno de bien universal. En esta página web, encontrarás historias esclarecedoras y vídeos de todo tipo de cosas «buenas». La masa crítica está creciendo minuto a minuto, ¡tal vez tu bondad sea el catalizador y provoque el punto de inflexión! ¿Quién sabe?

En Goodnet, encontrarás una sarta de contenidos que se actualiza diariamente. Son historias listas para consumir sobre organizaciones, productos, sitios web y aplicaciones que tratan de hacer el bien en tres ámbitos: a uno mismo, a la gente y al planeta. Así que cuando quieras encontrar organizaciones que se alinean con tus propias creencias y valores, ten en cuenta el «Good Directory». Si estás buscando actividades sencillas y factibles, ofrecemos un boletín quincenal llamado «Activa tu bondad».

También ofrecemos «TV Buena», que incluye una serie de vídeos edificantes para la inspiración y las buenas vibraciones. A los vídeos se accede desde la web y, a menudo, los sugieren nuestros lectores (individuos y organizaciones).

Goodnet ayuda a promover la «Buena conversación», a través de la página web y de los canales de las redes sociales, para que nuestros visitantes puedan participar en la conversación sobre temas relacionados con hacer el bien.

Crear un futuro común

Como colectivo, creo que podemos encontrar formas de trabajar juntos para resolver los problemas a los que nos enfrentamos como género humano. Cuando cada uno de nosotros acepta su responsabilidad personal, podemos crear el futuro colectivo que todos queremos. Páginas webs como Goodnet y libros como éste te muestran qué parecidos somos todos, en este mundo.

Desde una perspectiva amplia, todos queremos ser felices y estar en paz, todos queremos sentirnos llenos en nuestra vida diaria. Todos queremos salud, queremos prosperar y queremos un medio ambiente seguro para nuestros hijos y para nosotros mismos. En el fondo, todos queremos las mismas cosas. Los deseos humanos son universales, independientemente de tus orígenes o de dónde vivas.

Nuestra necesidad de sentirnos realizados y conectados es poderosa. He visto y oído muchas historias de personas que llegaron a otras a través de las buenas obras y acabaron sintiendo una profunda emoción de satisfacción y conexión. Una de estas personas es Elinor, que compartió su ejemplo personal de hacer el bien; la suya fue una de las muchas historias increíbles que oímos hablar en Arison el Día de las Buenas Acciones.

Elinor salió de su propio espacio de confort para relacionarse con otra gente a través de compartir un don universal, el don de la música. Al hacerlo, no sólo sintió la onda expansiva del bien proyectarse fuera de ella misma, lo que le proporcionó un nuevo sentido de conexión con la gente de su comunidad, sino que también sintió que la bondad revertía en ella en forma de una mayor autoestima, confianza y felicidad.

Su historia comienza con su descripción de lo que es ser dolorosamente tímida. «Tenía un miedo terrible al público», dice Elinor con seriedad. «Incluso en mi propia boda, tuve un ataque de ansiedad. No quería salir y presentarme ante los invitados que habían venido a celebrar el feliz día conmigo, ¡y eso que ellos eran mis amigos y parientes cercanos! Yo siempre he querido cantar, pero como no se puede salir al escenario con una máscara en la cara, sabía que nunca podría hacerlo».

Sin embargo, la oportunidad de poder liberarse se le presentó, por casualidad, en una fiesta de disfraces a la que asistió. «Tenían un karaoke y yo estaba de pie, en una esquina, me sentía tímida hasta el punto de estar aterrorizada, pero ardiendo de deseos de cantar. De repente me di cuenta de que nadie podría reconocerme porque en realidad ¡llevaba una máscara!». Escondida tras su disfraz, Elinor se levantó para cantar y cuando acabó sonaron aplausos entusiastas. «Pero yo sabía que aquélla sería la única vez porque no podía ir por ahí siempre con una máscara como en *El fantasma de la ópera*».[1]

---

1. *El fantasma de la ópera* es una novela de Gastón Leroux, publicada en 1909, que narra la historia de un hombre misterioso que aterroriza a la Ópera de París para atraer la atención de una joven vocalista a la que ama. El hombre misterioso es, en realidad, un genio musical que lleva siempre una máscara para ocultar su rostro deforme. *(N. de la T.)*.

Cuando le habló a una amiga sobre lo que había pasado y sobre lo mucho que le gustaría ser capaz de cantar de nuevo en público, su amiga le dijo: «Sé dónde puedes cantar». Le habló a Elinor sobre un club para personas ciegas, y la idea de actuar para ellos le atrajo. Eligió cuidadosamente las canciones y estuvo practicando unos días y, una semana más tarde, acompañó a su amiga cuando fue al club.

Elinor suspira cuando el recuerdo la invade, al pensar en lo lejos que ha llegado desde aquel día: «He actuado delante de muchas personas desde entonces, pero aquélla fue, y siempre será, la actuación más emocionante de mi vida. El amor que aprecié por parte de la audiencia fue increíble y eso me liberó de la timidez y del miedo que siempre había sentido.

Después de esa primera vez, Elinor comenzó a actuar regularmente en ese club y en muchos otros. Gracias a hacer el bien, ahora irradia una relajada sensación de seguridad, y a menudo se presenta para cantar ante los miembros de un club de ancianos locales y así colma su vida de felicidad y alegría. Su timbre de voz llena el auditorio y las palabras de las viejas canciones de amor que canta fluyen de ella con tanta ternura que hacen saltar las lágrimas de sus oyentes. «Tal vez algunos de ellos no me puedan ver con los ojos, pero me miran con sus corazones, y eso es todo lo que siempre he necesitado».

Centrarse en el bien común

Nuestra conectividad con el género humano siempre está ahí, pero a veces se necesita un acto de conciencia por nuestra parte para sentir y darse cuenta de su gran poder. Cuando concentramos nuestras energías en la mejora de nuestro mundo a través de la bondad, disfrutamos de muchos beneficios.

A veces, cuando pienso en la humanidad, la veo muy similar al cuerpo humano. El cuerpo tiene todos esos órganos diferentes, y sistemas y partes: cada uno de ellos es individual pero desempeña su propio papel fundamental en el sostenimiento de la vida humana y, en general, de la salud. Y es así en nuestro mundo cuando pensamos en la humanidad: tenemos muchos y diversos pueblos, que hablan diferentes idiomas, disfrutan de diferentes culturas y viven en diferentes países. Todas las piezas de la humanidad tienen distintos roles que cada persona, comunidad y país juega, pero, al final, todos formamos sólo la raza humana, al igual que nuestro cuerpo es un solo cuerpo.

Pero, ¿qué sucede cuando una parte del cuerpo ataca a otra parte del cuerpo? Tienes cáncer o una grave enfermedad. Esto es lo que la violencia en la humanidad está causando, un cáncer. La violencia o las peleas de cualquier tipo hace que el conjunto de la humanidad esté enferma, y esto puede llegar a ser como una enfermedad mortal si no resolvemos la violencia que experimentamos.

En cambio, cuando nos concentramos en el bien común, en lugar de destrucción o confrontación, traemos energía curativa a la raza humana. Estamos viendo esta verdad evolucionar más y más en nuestras vidas y estamos viendo este tema incluido en libros, películas y en la web. Acabo de ver una película en YouTube titulada *I AM* (YO SOY) y, en ella, había poderosas imágenes sobre cómo todos estamos conectados y cómo los pequeños actos pueden realmente cambiar las cosas; ilustra el avance del efecto dominó en nuestro mundo.

Dondequiera que mires hoy, verás que las masas están empezando a expresarse. Ésta es una cosa buena, pero sé consciente de que sólo funciona de verdad para la bondad si te estás expresando con un mensaje y unas acciones que produzcan un cambio positivo. Me preocupa que muchos estén hablando a través de la protesta, la ira y la violencia, deben pensar que están tratando de cambiar el mundo para mejor, pero cualquier tipo de protesta contra cualquier cosa, incluso si es para una buena causa, sigue siendo una lucha.

Por lo tanto, os animo a salir y hablar acerca de lo que estás «a favor» en lugar de lo que estás «en contra». ¿Qué soluciones positivas puedes ingeniar para crear el mundo que preferirías tener? Recuerda, todos somos uno.

Reconozco que se trata de un cambio y puede ser complicado hacerlo, pero vale la pena. Durante años, en mis empresas y en mis equipos de gestión, siempre he escuchado a gente decir que algo no se podía hacer. Y yo les retaba a pensar en ello y descubrir una perspectiva nueva y, después, a que volvieran y me dijeran cómo podría lograrse. Finalmente, el cambio ocurrió y soluciones muy creativas e ideas positivas comenzaron a convertirse en la norma; y entonces es cuando la verdadera trasformación de la organización realmente despegó.

Así que el reto para ti es poner a trabajar este concepto en tu vida. Todos debemos tomar la responsabilidad personal de dar con nuevas ideas y soluciones a los problemas a los que nos enfrentamos hoy en día. Soluciones positivas, colectivas, nos moverán hacia un futuro positivo, colectivo. Éste es el regalo que nos hacemos a nosotros mismos y a nuestro mundo cuando elegimos la bondad y pasamos a la acción en esa dirección. Nuestra bondad se expande hacia fuera, desde la humanidad a nuestro planeta y al medio ambiente, que son las dos extensiones que vamos a explorar a continuación.

CAPÍTULO OCHO

Hacer el bien al planeta

Cuando por primera vez pensé acerca de la sostenibilidad en mis empresas, hace más de una docena de años, traté de desarrollar una nueva visión para Shikun & Binui (nuestra compañía mundial de construcción, inmobiliaria e infraestructuras). Quería crear Apartments of Light (apartamentos de luz), donde la gente pudiera vivir en lugares con grandes ventanales que permitieran entrar abundante luz natural. Quería estos apartamentos para trasmitir una buena sensación, rodeados de vegetación, construidos respetando el medio ambiente y en armonía con la naturaleza.

Pero en aquel entonces, mi visión se adelantó a su tiempo. El personal al mando de la empresa no pudo entender por qué estaba una y otra vez con el tema de la construcción sostenible, mientras ellos estaban bastante convencidos de que, realmente, eso nunca funcionaría. Pero permanecí firme en mi propia determinación y, poco a poco, algunos de mis gerentes comenzaron a secundar este concepto, comprometiéndose a tomárselo en serio y ver la forma en que podría funcionar.

Entonces, aquellos de nosotros que queríamos seguir adelante con ese proyecto recibimos un impulso a nuestros esfuerzos cuando la película de Al Gore, *Una verdad incómoda*,[1] se estrenó. Su potente mensaje medioambiental ayudó a que otros en la compañía apreciaran las ventajas de esta visión. De repente, la gente tomó conciencia y comprendió que era hora de actuar. Fue un gran día cuando el equipo de directivos y el Consejo de Administración acordaron que estableceríamos una nueva visión para convertirnos en líderes en el emergente campo del desarrollo sostenible en la inmobiliaria y en la industria de infraestructuras.

Por supuesto, éste no es el tipo de visión que puede realizarse en una noche, y siempre habrá los que critican y sólo ven lo que no es perfecto. Estos procesos llevan mucho tiempo, pero lo importante es que nos hemos embarcado con éxito en nuestro viaje y está funcionando. Shikun & Binui construye mucho más que apartamentos; desde hace décadas, la compañía ha estado construyendo carreteras, autopistas, puentes y barrios enteros. Hoy en día, son líderes en todo tipo de proyectos de infraestructuras utilizando prácticas sostenibles al cien por cien. Estas prácticas no sólo protegen el medio ambiente de posibles daños, sino que también se centran en hacer el bien de muchas maneras creativas e innovadoras para el planeta y para las personas.

Con los años, Arison Investments se ha convertido en una entidad empresarial que invierte y tiene impacto en to-

---

1. *An Inconvenient Truth*, en el original. *(N. de la T.)*

das las facetas importantes de la vida –finanzas, inmobiliaria, infraestructuras, gestión del agua y energía– y estamos desarrollando estrategias que incluyan un enfoque integral de todos estos aspectos, ya sean económicos, sociales o medioambientales. A través de nuestras empresas, fundamentadas en valores morales, estamos llevando a cabo esto como una apasionada visión a largo plazo. Estamos proporcionando una respuesta a las necesidades universales de los seres humanos, de las que obtenemos potencial empresarial, además de dar un valor añadido para la raza humana.

Opciones personales en aras del futuro de nuestro planeta

En nuestras vidas, muy a menudo, nos sucede un acontecimiento dramático y tenemos que tomar cartas en el asunto, y esto es especialmente cierto cuando pensamos en la concienciación ambiental. Yo misma he experimentado varios sucesos dramáticos que me han abierto los ojos a la realidad de nuestra interconexión y me han llevado a ser tan apasionada en cuanto a la necesidad de que todas nuestras acciones –en el hogar y en el trabajo– sean sostenibles.

Creo que todos merecemos respirar aire limpio, pero esta convicción creció aún más fuerte en mi corazón y en mi mente después de visitar algunos países de Extremo Oriente. Ya sabía que es necesario preocuparse por el aire en nuestro mundo y mantenerlo limpio, pero cuando vi a la gente que tiene caminar con máscaras debido a la contaminación, comprendí aún más plenamente lo que significa vivir en un lugar donde es casi imposible respirar.

Eso fue hace años, cuando el nivel de conciencia ambiental existente era menor en comparación con la actualidad, y creo que a la mayoría de la gente nos costó demasiado asumirlo. Sé que yo lo hice. Pensábamos que siempre tendríamos aire fresco, agua limpia y suficientes alimentos saludables para sostenernos.

Pensé durante mucho tiempo que iba a trabajar en el ámbito del aire limpio, pero luego me di cuenta de que no podía hacerlo todo. A través de la intuición y de una inspiración de mi alma, he optado por entrar en el campo del agua, ya que el agua es vida. También vi claramente que el mundo se centra demasiado en la escasez, cuando sería mucho mejor ver nuestro futuro como abundante. Por lo tanto, fundé una compañía de uso eficiente del agua llamada Miya, con el objetivo de mantener el agua que ya tenemos. Miya desarrolla tecnologías prácticas para países y comunidades de todo el mundo con el fin de gestionar de manera eficiente los sistemas de agua, por lo que nuestro valioso suministro de agua no se desperdicia.

También estaba profundamente afectada por una visita a África, que me llevó a adoptar un estricto estilo de vida vegetariano. Fue allí donde llegué a comprender verdaderamente la naturaleza y a respetarla. Vi que cada criatura es una criatura de Dios. La vitalidad de los colores, los amaneceres, las puestas de sol, la libertad, los animales, todo esto abrió mi alma.

Pero el acontecimiento más traumático aconteció un día en el que fui a dar de comer a las jirafas en una reserva de Kenia. En un restaurante, esa noche, nos sirvieron un manjar: jirafa. Desde ese momento, no he probado nada de carne.

Varios años más tarde, me instruí sobre la secta jain, en la India. En una de sus ceremonias, vi cómo caminaban con una escoba y barrían la tierra que estaba frente a ellos con el fin de evitar dañar a cualquier criatura viva, ni siquiera mataban una hormiga por error. Esto me conmovió tan profundamente, que fue otro poderoso recordatorio para mí de que todos somos criaturas de Dios, grandes y pequeñas.

Estas experiencias conformaron mi actitud hacia la naturaleza y mis creencias se hicieron incluso más reales después de leer un libro titulado *Mutant Message Down Under*,[2] de Marlo Morgan, que habla de las experiencias de una mujer estadounidense con una tribu de aborígenes australianos.

Éstas son las razones por las que he decidido no utilizar nada que cause sufrimiento a un animal. No puedo entender cómo tanta gente puede sentarse en sofás o llevar bolsos y zapatos que están hechos de piel, y que no se dan cuenta de la cantidad de animales que tuvieron que morir por eso. No estoy diciendo que todo el mundo tiene que sacrificarse y abandonar todo, esa no es una postura realista. No soy perfecta, y tampoco nadie lo es, pero todos podemos poner de nuestra parte, y hacer lo que nos parezca que es lo correcto.

El matiz curativo

No tienes que mirar muy lejos en nuestro mundo para ver la fuerza con que estamos conectados con la naturaleza y los animales. Uno de mis recuerdos más fuertes del Día de las Buenas Acciones ilustra esto; estaba en un jardín de infancia para niños con necesidades especiales. Nos reunimos allí para llevar sonrisas a niños pequeños que sufrían discapacidades muy graves y que eran ayudados por los pequeños animales de un zoológico de mascotas.

---

2. *Voces del desierto*, en español. *(N. de la T.)*.

Las pequeñas manos acariciaban suavemente a los conejos, agarraban a los hámsteres y les hacían cosquillas, las tortugas caminaban por allí bamboleándose. Me conmovió profundamente cuando me invitaron a jugar con esos niños y ayudarles a tratar afectuosamente a estos simpáticos animales. Yo estaba con nuestro *tour* del Día de las Buenas Acciones y estaba a punto de adelantarme con el *tour* y los medios de comunicación al siguiente lugar cuando la maestra del jardín de infancia se me acercó entusiasmada. Me habló de un niño en particular que padecía hipersensibilidad sensorial aguda, pero que con mucho valor había superado su problema y había conseguido acariciar muy suavemente a los animales que le traían. La maestra dijo que su sonrisa permanecerá en su corazón para siempre.

He llegado a aceptar completamente la verdad universal de que todos estamos conectados, todos somos uno. Y aunque esto ciertamente se aplica a nosotros como género humano, nosotros, los humanos, estamos conectados con todos los elementos de nuestro mundo: la tierra, los animales, la naturaleza, el aire y el agua.

Cuando aceptamos esta visión de nosotros mismos y de nuestra conexión con nuestro mundo, entonces, podemos empezar a entender el viejo mundo y las razones de su colapso. A todos nos afecta lo que sucede a nuestro alrededor, lo bueno y lo malo. Por ejemplo, creo que las catástrofes naturales a las que hemos asistido últimamente, incluido el progresivo aumento y la intensa devastación que están causando —a saber, terremotos, tsunamis, incendios forestales, sequías e inundaciones— son signos de una herida de la que la Tierra se está limpiando. Nuestro planeta tiene necesidad de limpiarse de los años que lleva acumulados de energía negativa, de la misma manera que nosotros nos limpiamos a través de la introspección y de hacer el bien.

Es interesante tener en cuenta que mientras los dramáticos cambios que se están produciendo en nuestro mundo sólo involucran a la naturaleza, la gente todavía puede elegir no ver la verdad ni hacer frente a la necesidad de cambio. Pero ahora vemos que la crisis financiera mundial ha llevado a muchos a asimilar el hecho de que el viejo mundo ya no funciona. Las economías mundiales y las estructuras gubernamentales, que se basaban en viejos modelos de escasez, miedo y luchas de poder, se están desmoronando y dando paso a un mundo nuevo.

Creo que ésa es la razón por la que a tantas personas les afecta de una manera tan profunda oír hablar acerca de crisis financieras y violencia en nuestro mundo; todos estamos conectados. Puedes sentir estas cosas a nivel emocional o, a veces, físicamente, incluso aunque no hayas estado directamente afectado por las recesiones o por las guerras en otros países.

Generar una conexión mucho más intensa

Creo que la razón de que todo esto nos afecte ahora tan profundamente es porque hay un mayor nivel general de conocimiento de nuestra conexión a través de Internet. Ya no es posible ocultar el colapso y la guerra interna que se libra por debajo de la superficie, individual o colectivamente. El mundo se ha vuelto trasparente y podemos ver y sentir cuán frágiles y caóticas se han convertido las cosas a nuestro alrededor.

Volvemos al punto de partida. Cuando experimentamos el caos en nosotros mismos, vemos el caos reflejado en nuestro mundo. Tan pronto resolvamos nuestro caos interior y nos limpiemos (algo que sabemos que podemos conseguir a través de hacer el bien), el resultado final será un mundo mejor.

Ahora podemos ver que el impulso hacia la sostenibilidad medioambiental se trata de algo más que de hacerse ecologista. La espiritualidad está creciendo y aceptamos que la Tierra en sí misma es un ente vivo, que respira –los árboles, los animales, nuestras relaciones–, todo tiene energía. En nuestra conexión, nosotros, como seres humanos, mermamos cuando cualquier parte de la naturaleza se ve perjudicada, y creo que es hora de que todos reflexionemos más profundamente sobre esto. Cuando le haces daño a cualquier otra cosa que está viviendo, en realidad, te haces daño a ti mismo, porque todos somos uno.

Me doy cuenta de que estos conceptos son complejos y de que hay mucho por hacer. Podría parecer algo abrumador y puede que no sepas por dónde empezar. Así que mi consejo es: empieza por alguna parte. Actúa con valentía de la forma que puedas para proteger la naturaleza, nuestro medio ambiente y nuestro planeta. Como individuo, puedes empezar por limpiar tu propio patio o el del vecindario. Puedes aprender acerca de sostenibilidad y hacer algo, no importa lo humilde que sea. Cada pequeño acto cuenta porque los actos pequeños juntos se convierten en una gran acción.

Si eres maestro o profesor, puede estimular a tus estudiantes a incorporar conceptos o acciones sostenibles en su trabajo escolar o en proyectos, independientemente de la edad que tengan. Si pones en funcionamiento una empresa, puedes incitar a los equipos de empleados a identificar iniciativas sostenibles dentro de sus operaciones y puedes suministrar recursos para que las buenas ideas puedan implementarse. Como cualquier trabajador en su organización, puedes animar a tus compañeros de trabajo y al equipo directivo a que tomen medidas positivas.

Como científico o investigador, puedes estar en la cúspide del descubrimiento de nuevas realidades ambientales de las que vamos a oír hablar y ser capaz de actuar. Si desempeñas un papel de liderazgo o eres un actor o un orador dotado, puedes inspirar a otros a través de tus acciones y tus palabras. Como periodista, puedes informar de buenas noticias y acciones positivas realizadas por ciudadanos para que otros aprendan a partir de esos ejemplos. Cualquier persona, en cualquier lugar, puede hacer su parte.

Mientras haces cosas buenas para el planeta y el medio ambiente, dentro de tus posibilidades, ya sea asumiendo un desafío complejo o bien un acto diario sencillo, sumas a la voluntad colectiva; y estoy convencida de que cuando suficientes personas pasen a la acción, llegaremos a un punto de inflexión. Una vez que nuestras acciones colectivas se decanten por la protección del medio ambiente y la sostenibilidad, estas acciones y valores se convertirán en una forma de vida, trasformándonos a nosotros mismos y a nuestro mundo.

Colectivamente, tenemos el poder de sacar a relucir en nosotros mismos y en nuestro mundo la esencia más hermosa y pacífica que nunca hayamos visto. No puedo esperar, ¡y el planeta tampoco! Pensar bien, hablar del bien y hacer el bien; el tiempo para la acción es ahora.

CAPÍTULO NUEVE

¿Cómo trasforma tu vida hacer el bien?

Así que si mi deseo es motivarte para actuar, ¿qué más puedo decir? ¿He agotado todos mis propósitos en esta cuestión? No, ni mucho menos. Este libro nunca se acabaría si para mí fuera necesario llegar a una conclusión, porque una vez que las ondas expansivas de la bondad empiezan a producirse, son tan poderosas que no tienen ni principio ni fin. ¡No se pueden detener!

Tengo la convicción absoluta de que esta teoría mía –la de que hacer el bien cambiará el mundo– conseguirá captar a los escépticos que todavía dudan y, al final, conseguiremos que suban al tren. Por favor, considera esto como tu billete para poder viajar con nosotros, para sumarte a nosotros en querer hacer el bien cada día. Ser un miembro más de este grupo es sencillo: no hay cuotas de suscripción ni ningún pago que realizar. Basta con empezar por algún acto de bondad: serás un miembro que goce de gran estima.

Tal vez todavía necesitas un poco de persuasión o a lo mejor conoces a otras personas de tu entorno que aún no están dispuestas a unirse a nosotros. Si es así, vamos a tomarnos un momento para sopesar cuatro beneficios personales que podrás disfrutar mientras tomas la elección consciente de pensar bien, hablar del bien y hacer el bien.

En primer lugar, hacer el bien fortalece la autoestima y la autoconfianza. En segundo lugar, hacer el bien te convierte en un líder y una inspiración para los demás. En tercer lugar, hacer el bien saca a flote tus mejores cualidades. Y en cuarto lugar, hacer el bien proporciona más felicidad y alegría a tu vida.

Desarrollar tu autoestima

Vamos a explorar el primer punto, ¿cómo construye la autoestima y la confianza en ti mismo hacer el bien? Esto funciona a todos los niveles. A nivel físico, piensa en los momentos en los que no te sientes a gusto con tu cuerpo. Puede que en esos momentos estés vistiendo ropa vieja y siente que no te importa lo que llevas puesto; pero esa ropa no te queda bien. Y, generalmente, te acabas sintiendo horrible.

En cambio, cuando haces cosas buenas para cuidar de ti mismo, como tomarte tiempo cada día para vestirte apropiadamente, te sientes mejor. Maquillarse o, si se trata de un hombre, dedicar tiempo a afeitarse, y hasta puede que aplicarse después la loción, realmente hace que uno se sienta diferente. Yo pienso que, en general, todas las personas se sienten mejor cuando cuidan de sí mismos.

A continuación, puedes mirarte en el espejo y decir: «Caramba, ¡qué buen aspecto que tengo hoy!». ¡Sé que lo he experimentado!; a veces, en mi vida, se produce un gran cambio cuando hago una elección consciente para cuidarme mejor. Para mí, eso significa empezar cada día por salir a correr o dar un paseo y tomarme tiempo para meditar; de esa manera me siento mucho más confiada en que voy a tener un día brillante.

A nivel emocional, cuando te sientes triste y deprimido, también te puedes descubrir quejándote de todas las cosas que no van bien en tu vida, centrándote sólo en pensamientos como «él hirió mis sentimientos o ella me hizo enojar». En este caso, sencillamente no vas a sentirte bien contigo mismo porque no estás en ese estado de ánimo. Pero si cambias tu actitud y tratas de no obsesionarte con esas cosas y pensar más positivamente sobre tu día y sobre lo que te tiene reservado, muy probablemente, encontrarás que la vida fluye mucho mejor. Es una consecuencia natural de cómo estás pensando y sintiendo, y si tus acciones son aquellas de las cuales puedes sentirte orgulloso, entonces tendrás más confianza en ti mismo y disfrutarás de una mayor autoestima.

Hace poco me enteré de la historia de una mujer que se había trasladado a una casa de acogida para mujeres porque su pareja, masculina, había abusado de ella. Estaba muy asustada para salir de la casa de acogida, ya que podría ser reconocida y no tenía dinero extra para comprarse maquillaje o una peluca. Afortunadamente para ella, un hombre que era dueño de una peluquería oyó hablar de mujeres como ella a una asistente social de la casa de acogida y se ofreció a ayudar. Acordó permanecer abierto ciertas horas de la noche para que estas mujeres pudieran ir privadamente. Las atendería sin cobrarles el servicio, tendrían mejor aspecto y recibirían un poco de cariño. Pidió a uno de sus amigos, que era un artista del maquillaje, que también le ayudase.

Todo funcionó sorprendentemente bien. Una de las mujeres estaba muy agradecida porque al cuidarse mejor, ahora tiene más autoestima y confianza en sí misma. «Durante años, el único color que tenía mi cara era el azulado y púrpura de mis moretones. Hoy, gracias a este maravilloso lugar, sé cómo maquillarme, me cuido bien y me siento bien en mi femineidad».

Sacar a la luz el líder que llevas dentro

Ahora, vamos a considerar el segundo punto. Creo que hacer el bien te convierte en líder y en una inspiración para los demás. Personalmente, yo siempre he encontrado inspiración en personas con una influencia decisiva en el mundo, como Martin Luther King, Jr.; Gandhi o la Madre Teresa. Siempre les he admirado.

Y no sólo admiro a personas con un perfil alto, sino también a cualquier persona que esté haciendo cosas extraordinarias en este mundo. Ya sea que estén usando su formación profesional o sus dones naturales, son una inspiración para mí.

Una vez vi en un programa internacional una historia sobre un médico que fue a un pequeño pueblo en América del Sur y ayudó a los ciudadanos que habían perdido una extremidad o habían nacido sin alguna. Fue capaz de adaptarles una prótesis y logró un cambio increíble en esa gente. Ese médico dio a esas personas una calidad de vida mucho mejor y todos los pacientes se mostraron muy agradecidos. Él utilizó sus dones para este bien superior y, a pesar de que muy pocos podían pagar por sus servicios, no le importaba. Encuentro esta historia muy edificante.

Hubo otra historia fascinante sobre un hombre que quería ayudar a los drogadictos que no tenían casa. Él sabía en qué parte de la ciudad estaban, así que, con toda intención, hacía su recorrido diario a través de esos barrios. Cada día iba a correr por ellos y, poco a poco, y después de un tiempo, algunas de esas personas sin hogar empezaron a correr con él. Y luego, finalmente, varias de ellas dejaron de consumir drogas porque comenzaron a sentirse mejor con su cuerpo, mejor con sus vidas.

Me conmovió esta historia porque el hombre pasó a la acción, pero haciendo el bien y proporcionando una muy tranquila y profunda inspiración a esos individuos. En realidad, les mostró una forma sencilla para empezar a sentirse mejor. La bondad de su acto se propagó con el tiempo y provocó una gran cambio. Tú también puedes hacer eso. Puedes convertirte en un líder justo a través del acto de hacer el bien. Otros te verán y se inspirarán.

Incluso alguien que está tranquilamente sentado en el césped del parque o meditando en la playa puede servir de inspiración a otras personas. Muy a menudo, cuando alguna persona hace eso, verás que otros siguen su ejemplo. Una persona se une a la primera, luego otra persona se une a ellos, y así sucesivamente, y ahora tienes un grupo de personas meditando para el beneficio del mundo, con lo que la buena energía va hacia adelante. De repente, tienes un «líder» tan sólo en alguien que estaba sentado discretamente.

En mi propia comunidad, tuve el emotivo privilegio de encontrar a dos líderes inspiradores, a los que conocí a través de una entrevista que realizaron conmigo en el Día de las Buenas Acciones. La entrevista apareció en uno de los principales portales de noticias de Israel y los dos jóvenes eran miembros de Shalva, the Association for Physically and Mentally Challenged Children (Asociación de niños discapacitados físicos y mentales) de Israel. Efrat tiene síndrome de Down y Matanel tiene necesidades especiales, sin embargo, ambos querían saber cómo podían ayudar y formar parte del Día de las Buenas Acciones.

La entrevista fue muy bien y estoy segura de que muchos de los espectadores se emocionaron por el entusiasmo que vieron. Yo también estaba muy emocionada al saber que Efrat y Matanel habían encontrado una magnífica manera de involucrarse en el Día de las Buenas Acciones. Ambos se ofrecieron como voluntarios para visitar a ancianos y a algunos hijos de los trabajadores extranjeros, con el propósito de animarles. A pesar de que estos dos jóvenes tienen sus propios retos, dejaron de preocuparse por ellos mismos. Durante un tiempo se centraron en ayudar a otras personas, y por lo tanto, son líderes inspiradores para mí y para muchos otros. Efrat y Matanel llegaron a crear una película maravillosa que se titula *Special Interview*, en la que documentan su extraordinaria jornada tratando de realizar su sueño de entrevistar al presidente de Estados Unidos, Barak Obama.

Conecta con lo mejor de ti mismo

Así que ahora vamos a pasar al tercer punto: cómo hacer el bien saca tus mejores cualidades. Hacer el bien pone al descubierto toda clase de buenas cualidades, como la bondad, el respeto, el amor, la compasión, la aceptación, la paciencia y la tolerancia. Cuando estés haciendo el bien para ti mismo, te volverás más amable y cariñoso hacia ti mismo y, entonces, tendrás más amor para dar a los demás.

He aquí un ejemplo de mi propia vida. Yo tenía una estrecha relación personal que me partió el corazón. Aunque existían muchos problemas de crecimiento personal, la experiencia me enseñó lecciones muy valiosas, incluyendo la paciencia y la aceptación. Gracias a mantener la concentración en hacer el bien para mí y para la otra persona, finalmente, pude aprender a aceptar a las personas tal como son.

Ahora sé qué es lo que yo quiero y la importancia de ser fiel a uno mismo. También aprendí lo fuerte que soy por dentro, y la manera de confiar en mí misma. Ésa fue una de las lecciones más importantes para mí, aprender a dejar ir y ser capaz de confiar en el proceso, confiar en Dios y confiar en el universo. Creo sinceramente que la experiencia hizo aflorar cualidades que estaban profundamente ocultas en mí, y estoy muy agradecida. Todo esto sucedió porque yo estaba concentrada en hacer el bien.

Nunca se sabe qué cualidades destaparás de ti mismo gracias al hecho de hacer el bien. En una ocasión, me enteré de un programador de una compañía de taxis a quien el tema de los hospitales le ponía siempre nervioso. Pero cuando uno de sus conductores fue hospitalizado por una operación de corazón, fue a verlo casi todos los días. La experiencia le abrió los ojos a lo difícil que resulta para las familias de los pacientes, que tienen que pasar tanto tiempo esperando y apoyando a sus seres queridos. Pudo ver que no era fácil para ellos comer en el hospital, y que era caro porque no estaban en casa. Si necesitaban cosas, era un reto conseguirlas y, sobre todo, a veces era muy difícil entender toda la palabrería médica y la jerga que los médicos utilizaban.

Como el hombre explicaba: «Me puse a pensar en cómo podía ayudarlos y recluté a toda la plantilla de taxistas en el intento. Un hombre llevó el té y el café y otro llevó a su hija, que es médico, para hablar con los familiares. Alguien más organizó las comidas para ellos y así es cómo les hemos ayudado durante el período de hospitalización».

Cuando el taxista fue dado de alta, la empresa decidió seguir haciendo este buen trabajo y, hoy en día, todos los conductores son voluntarios en los hospitales y tratan de hacer las cosas más fáciles para las familias de los pacientes. Se aseguran de que tienen algo que comer y que hay alguien para hacerse cargo de las diligencias, como el pago de facturas o la recogida de los niños de la escuela –ya que, de todos modos, los conductores están todo el día en sus taxis y en las calles–; ellos están contentos de poder ayudar. Esta experiencia hace que los taxistas saquen constantemente lo mejor de sí mismos al irse comprometiendo en nuevas formas de ayudar, con tareas que quizá antes nunca se habían sentido capaces de realizar.

Aumenta tu felicidad y alegría

Ahora me gustaría indicar cómo hacer el bien aporta más felicidad y alegría a tu vida. Vamos a empezar con el pensamiento de que la bondad es una energía de luz y la luz trae alegría, felicidad y paz a todo lo que toca. Creo que está dentro de nuestra propia naturaleza ser más felices cuando pensamos bien, hablamos del bien y hacemos el bien.

Para ver la verdad en esto, sólo hay que pensar sobre cómo te sientes cuando *no estás* pensando o haciendo el bien. Si estás haciendo cosas que sabes que no son agradables o que van contra la naturaleza o que puedan herir a otra persona, es mucho más probable que te sientas culpable, avergonzado y abochornado, en lugar de que te sientas bien.

Para mí, hay muchas cosas que me proporcionan alegría y felicidad. Por supuesto, en primer lugar, están mis hijos –estar con ellos, verles crecer y compartiendo sus vidas–. Pero hay muchas más cosas que me hacen feliz, como la naturaleza, las flores, los bosques, los océanos, la música, el baile, un buen musical o una película edificante, una sonrisa en la cara de alguien o el sonido alegre de la risa.

Mi pasión en este mundo es inspirar a la gente, sin importar si es cara a cara o hablando a un grupo. Cuando percibo el brillo en sus ojos y veo que están «captando» me siento tan emocionada y feliz... Cuando veo que la bombilla se ilumina en la gente y sé que los he inspirado a que hagan cambios positivos para ellos mismos y para los demás, eso me hace más feliz que cualquier otra cosa.

Para mí, este libro es una manera más de conseguir que mi mensaje llegue a la gente y que cada uno pueda, así, conectar consigo mismo y hacer que su bondad resuene en todos los círculos de los que forme parte. Sigue leyendo si quieres saber cómo van adquiriendo mayor ímpetu todos nuestros esfuerzos colectivos: cada vez estamos más cerca de alcanzar la masa crítica de la bondad.

CAPÍTULO DIEZ

Día Internacional de las Buenas Acciones

La idea de organizar el Día de las Buenas Acciones se me ocurrió una mañana cuando estaba caminando sobre las dunas en Israel, en una de mis habituales caminatas matutinas. Pensé: «¿por qué no destinar un día al año en el que se anime a todos a hacer una buena acción? Todo lo que se requiere para participar es el deseo de hacer el bien».

La idea para este día se basa en mi firme creencia de que todos y cada uno de nosotros podemos dar de nosotros mismos para el beneficio de los otros, de acuerdo con nuestras propias habilidades y capacidades. Todo el mundo puede hacer una buena obra y aportar algo a la comunidad en la que vive.

Pensé que hacer una buena acción podía ser tan simple como sonreír a alguien, porque sonreír a los demás es una manera para ti de poner tu propia energía positiva ahí fuera. O algunas personas podrían optar por formar

103

parte de una experiencia colectiva más grande –una donde personas voluntarias ayuden en un proyecto de desarrollo comunitario.

Cuando una masa crítica se reúne para hacer el bien, entonces se puede lograr mucho, incluso en un solo día, como limpiar un parque o la playa; pintar un centro comunitario o alegrar el día a un grupo de personas mayores visitándolos para charlar, tocar música o participar juntos en juegos.

La primera vez que hablé con mi equipo sobre mi idea, lo que tenía sentido era que fuera organizado y gestionado por Ruach Tova, la organización sin ánimo de lucro de Arison. El primer evento se llevó a cabo en la primavera, como si fuera una especie de festival de hacer el bien. Esto dio a los grupos de benévolos una oportunidad de centrarse en sí mismos y promover su causa y las buenas obras entre el público. También fue un día especial para los voluntarios, para sobresalir y celebrar el tiempo que dedican a causas que son próximas y entrañables a sus corazones.

A medida que mi equipo y yo comenzamos a promover este día, quisimos animar a todos a participar, ya sea por sí mismos, con un acto personal de bondad, o para unirse a un proyecto de la comunidad junto con sus vecinos, compañeros de trabajo o grupo social. También dimos la bienvenida a estudiantes de todas las edades, ancianos, soldados... a todos los que querían. Ruach Tova recibió todo tipo de consultas y emparejó muchas personas con proyectos específicos del Día de las Buenas Acciones que se estaban realizando en sus comunidades.

Empezar de una forma sencilla

Ese año, en nuestro primer Día de las Buenas Acciones en Israel, en 2007, participaron cerca de 7.000 personas. Los equipos de Ruach Tova y de Arison hicieron un increíble trabajo organizándolo todo y también consiguieron que yo pudiera visitar diferentes proyectos durante todo el día. Cuando llegábamos para animar a los grupos, me quedaba emocionalmente impresionada al observar la efusión de amor y bondad que se respiraba, junto con las sonrisas de la gente que recibía ayuda. Los voluntarios llevaban camisetas que se hicieron especialmente para el Día de las Buenas Acciones y su entusiasmo era contagioso.

En el segundo año, iniciamos una colaboración con el periódico líder israelí, difundiendo nuestro mensaje a través del periódico y de su página web, y esto ayudó a conseguir el doble de participantes en comparación con el primer año, lo que fue increíble de ver. En el tercer año, fue excitante que más de 40.000 personas de todo Israel, y de algunas comunidades árabes, se unieran a la causa, participando en proyectos de la comunidad o haciendo buenas obras para otra persona.

En el tercer año, continuamos con la colaboración con el periódico y nuestra habitual difusión a través de otros canales, también añadimos las redes sociales y comenzamos a hacer correr la voz a través de facebook. Cada año, nos enterábamos de más y más organizaciones y comunidades que querían participar, por lo que nuestro equipo estaba ocupado realizando el seguimiento de todos los proyectos y de los voluntarios y haciendo coincidir a más y más gente, que contactaron con nosotros, para asegurarse de que todo el mundo tenía algo bueno que hacer ese día.

En los años siguientes, la participación continuaba creciendo y entonces empezamos a escuchar a más y más gente de fuera de Israel a los que les gustaba la idea y querían unirse. En 2010, teníamos aproximadamente 70.000 personas que salían a hacer buenas obras y el número se duplicó de nuevo el año siguiente.

Incluir una campaña a través de Internet

Cuando comenzamos a planear el del año 2012, estábamos realmente muy entusiasmados porque encontramos un patrocinador promocional adicional que era un partido perfecto para nosotros. MTV Europa se unió a nosotros como socio estratégico para ayudarnos a difundir la voz por todo el mundo. Nos ayudaron a desarrollar e implementar una campaña de plena conciencia destinada a alcanzar a una audiencia internacional, en particular a los jóvenes.

MTV Internacional produjo un pegadizo anuncio para televisión e Internet que se emitió durante seis semanas antes del Día de las Buenas Acciones en 2012. Crearon una empresa de páginas webs que organizó y ofreció un premio de incentivo, además de coordinar todas las redacciones de sus canales para ayudarnos a promover la visión. La campaña fue un éxito, pues llegó a tener cerca de 24 millones de visitas en la red de televisión. Las personas compartieron sus buenas acciones en la página web destinada, subiendo decenas de clips, dibujos e historias.

Esta campaña no sólo se hizo en 24 países a través de Europa, sino que además obtuvimos un enorme eco en los medios de comunicación, lo que llevó a que mucha gente se interesara en casi otros cincuenta países. Habíamos logrado llegar al Día Internacional de las Buenas Acciones y, en 2012, más de 250.000 personas en Israel y miles más en todo el mundo participaron en actos personales y colectivos de buena voluntad. Ese año, 163 autoridades locales de Israel pasaron a la acción, incluyendo 62 de los 68 municipios árabes. Esto es increíble.

Sólo en ese día, se pusieron en marcha más de 3.700 proyectos. Había proyectos de pintar casas para ayudar a los ciudadanos de edad avanzada, grupos renovando diferentes escuelas y centros de atención de día, equipos que se reunieron para plantar huertos comunitarios, algunos optaron por tocar música juntos para sus vecinos, cientos participaron en colectas de alimentos y mucho más.

¡Fue impresionante ver la gran diversidad de proyectos e ideas con las que las personas habían llegado! Barberos y peluqueras cortaban el pelo de forma gratuita a aquellos que no se lo podían permitir, proporcionando a esas personas un día de atenciones y cariño que realmente les levantó el ánimo. En otros casos, se ofrecieron cortes de pelo gratuitos a las personas con el pelo largo y, cuando fue posible, el cabello que se cortó se donó a organizaciones para fabricar pelucas destinadas a las personas que pierden su cabello debido al cáncer.

Oímos hablar de una mujer en el Reino Unido que hizo su propio acto de bondad a lo largo de todo el año: dejaba su moneda en el carro del supermercado para la siguiente persona –era sólo un pequeño acto personal de bondad que iluminaría el día del siguiente comprador–. En otra comunidad, alguien tuvo la idea de organizar individualmente a músicos de la calle y hacer que tocaran todos juntos en la plaza principal, como una orquesta, para que todos disfrutaran.

Las organizaciones benéficas locales pronto se dieron cuenta de que el Día de las Buenas Acciones era un buen momento para aprovecharse del ambiente con el fin de estimular el aumento de las donaciones a sus valiosas causas y para inscribir a voluntarios que estaban dispuestos a continuar con el compromiso de la caridad a lo largo de todo el año, prolongando su buena voluntad más allá de los eventos del día.

Cada año, como el Día de las Buenas Acciones aumenta, estamos sorprendidos al ver cómo su magnitud y su impacto se expanden por todo el mundo. Cada vez que alguien hace una buena obra para el beneficio de los demás o para nuestro planeta, el círculo de la bondad se propaga y, a continuación, más y más gente nueva y nuevas comunidades se unen.

De esta manera, el Día de las Buenas Acciones sirve como un ejemplo de lo que nuestro mundo puede ser todo el año, no sólo un día. Si adoptamos el Día de las Buenas Acciones y actuamos durante todo el año, estoy segura de que lograremos crear una masa crítica de gente que produzca un cambio duradero y esencial en nuestro mundo. Me siento contenta de compartir algunas de las miles de acciones, de todas las que hemos escuchado, que pasan alrededor del mundo, para inspirarte a que hagas tu propio cambio.

El Día de las Buenas Acciones se extiende por todo el mundo

Imagina a un hombre en la India, desolado al ver un hermoso árbol grande y viejo caer cerca de la plataforma de la estación de tren en su comunidad. Él pudo ver que había sido recortado demasiado por los jardineros, lo que provocó que cayera. Sin embargo, nadie en la compañía de ferrocarriles lo admitió y se negaron a ayudarle a reemplazarlo. Cuando se alejaron, el hombre aceptó su responsabilidad: «He tomado la iniciativa de volver a plantar un árbol joven yo mismo. Lo hice como un acto a la Madre Tierra y a todos los seres humanos y a los pájaros que se refugiaron en ese viejo árbol».

También nos enteramos de un grupo creativo en América del Sur que decidió celebrar el Día de las Buenas Acciones en Buenos Aires, haciendo un gran cartel que decía: «¡No hay nada mejor en el mundo que ayudar al prójimo!» y lo mantuvo en alto en un cruce muy concurrido. Además, repartieron dulces y notas a los coches en el semáforo con sugerencias para llevar a cabo las buenas obras. De esta manera, pudieron ver el impacto inmediato. Al principio, muchos estresados conductores parecían confundidos por el gesto, pero después de recibir los dulces y de leer las notas, muchos de ellos sonrieron y desearon un buen día a los voluntarios y otras personas, incluso, se unieron a la actividad. Gracias a este pequeño acto de hacer el bien, un sentimiento de camaradería se extendió por todo el, generalmente, frenético cruce.

En Ucrania, el Día de las Buenas Acciones dio un paso más allá y se convirtió en un evento de una semana en ocho ciudades diferentes, con 10.000 voluntarios. Una de las actividades más memorables que organizaron los voluntarios fue una subasta benéfica de obras de arte creadas por huérfanos y niños hospitalizados. Además de las ventas de las pinturas de los niños, los voluntarios recogieron los deseos secretos de esos niños para crear «el árbol de los deseos», en donde cada hoja representaba el sueño de cada niño y se invitó a los participantes de la subasta a cumplir un sueño de cada niño en ese momento. Un niño pidió, como deseo, un nuevo amigo y, como respuesta, otro niño que estaba allí dio un respingo y aprovechó esa oportunidad e, incluso, le ofreció su peluche a su nuevo amigo.

Actividades que trasforman vidas

En muchas ciudades de Estados Unidos, había una increíble variedad de actividades de grupo y actos personales en el Día de las Buenas Acciones. Por ejemplo, en la ciudad de Nueva York, un grupo de empleados unieron sus fuerzas a dos grupos de voluntarios de servicios sociales, en una mañana lluviosa de domingo, para entregar paquetes de alimentos en días festivos para ciudadanos imposibilitados que no pueden salir de su casa. Una mujer tuvo una experiencia especialmente emotiva. Después de sonar el timbre en su dirección asignada, fue recibida por una mujer encantadora que se había puesto maquillaje y su vestido favorito para la ocasión. Las dos mujeres pasaron la mañana intercambiando historias acerca de sus familias, que vivían muy lejos, e hicieron un pacto para seguir viéndose todos los domingos durante el almuerzo.

También sonrío cuando pienso en la joven que escuchamos en Nueva Jersey, que da lecciones de baile *swing* a niños en un programa extraescolar en un barrio desfavorecido. Para el Día de las Buenas Acciones, decidió planificar la actuación de los niños en una residencia local de ancianos, para proporcionar un poco de entretenimiento y entusiasmo y alegrar su día. Pensó que, como la música y el baile *swing*, eran tan populares en la primera mitad del siglo XX, las personas mayores podrían disfrutar del espectáculo. Los niños trabajaron duro para tener sus tareas listas e incluso hacer camisetas especiales para el espectáculo. Los residentes del hogar de ancianos estuvieron muy contentos de tener a un grupo de visitantes tan joven y tan enérgico y les encantó verlos bailar la música de la época en que ellos mismos estaban creciendo.

Luego fue un centro de día para madres solteras en Los Ángeles, que necesitaba con toda urgencia una «cirugía estética» para trasformarlo en un lugar más cálido y acogedor para los niños. Una empresa local del barrio ofreció patrocinar una nueva capa de pintura y se acercó con todos sus empleados al Día de las Buenas Acciones para dar a las paredes sucias un nuevo aspecto. Una brillante y suave sombra de color amarillo, que era como el sol, fue el elegido por los cuidadores del centro y, contentos, el grupo de voluntarios pintaron la sala de juegos e, incluso, agregaron caprichosos diseños de animales. Cuando a la mañana siguiente los niños y sus madres llegaron, la nueva decoración les hizo sonreír a todos.

En New Hampshire, un joven apasionado de la escritura quiso compartir sus cuentos. Buscó una audiencia y encontró a un hombre que era ciego y estaba interesado en tener compañía. En el Día de las Buenas Acciones, el escritor hizo una visita a la casa del hombre y pasó la tarde leyéndole. Ambos, no sólo se beneficiaron de la reunión, sino que hicieron un nuevo amigo. El hombre ciego disfrutó realmente escuchando las historias y se ofreció a prestar toda su atención a cualquier nuevo material del escritor siempre que éste quisiera una opinión sobre el mismo.

En el área de Raleigh, en Carolina del Norte, más de 100 personas participaron en las actividades del Día de las Buenas Acciones, que incluían una recogida de alimentos, la distribución de almuerzo en un refugio, donaciones a familias necesitadas y la elaboración de cestas de fiesta para las personas mayores que no podían salir de casa. Esas cestas, en concreto, fueron muy bien recibidas, tal como lo refrendó uno de los hombres beneficiados: «Fue tan agradable recibir un paquete especial para la fiesta, con todos esos artículos necesarios específicos que, de no ser así, me hubiese resultado un poco difícil intentar recopilar por mi cuenta». Pero la mejor parte fue la nota que llevaba dentro, deseándome un feliz día de fiesta con un nombre y número de teléfono, por si necesitaba ayuda en cualquier otra cosa. Eso me hizo sentir que en la comunidad hay personas que se preocupan por los demás».

Voces que son loas a la bondad

Como puedes ver, hay un sinfín de buenas ideas, ¡y hay tantas maneras de hacer el bien! Para cada evento colectivo que he mencionado aquí, había miles de otros actos personales de bondad que fueron hechos por iniciativa propia.

Es difícil escoger lo más destacado, porque he sido bendecida por la suerte de ver y escuchar miles de maravillosas historias de bondad a través de los años. Pero voy a compartir sólo una más antes de que este capítulo termine. Estaba en mi habitual visita al Día de las Buenas Acciones aquí, en Israel, cuando oí voces que venían de la copa de los árboles. Miré hacia arriba y vi a jóvenes con bolsas colgando de sus hombros trepando para arriba para ayudar a un granjero en la cosecha de sus naranjas. Sus voces excitadas resonaron en inglés ya que eran de Estados Unidos y, cuando les oí hablar, me emocioné mucho, me sentía como si estuviera en casa. Había pasado todo el día trabajando con mi equipo y rodeada por los medios de comunicación israelíes y voluntarios hablando en hebreo; fue un placer inesperado escuchar alegres voces inglesas, mientras estaban haciendo su propia buena acción.

Entonces supe con certeza que no necesitaba preguntarme por más tiempo sobre mis raíces, sobre mi ciudadanía, sobre a qué país o a qué mundo pertenecía. En ese glorioso día, tuve claro que soy americana, soy israelí, soy una ciudadana del mundo, como lo somos todos. *Todos somos uno.*

Así que ahora, cada año, en primavera, en el Día Internacional de las Buenas Acciones, te invito a hacer una buena obra que beneficiará a la vida del prójimo, hacer feliz a otra persona, o mejorar nuestra condición humana o el hábitat. Sabes tan bien como yo que una buena acción también mejorará tu propia vida y te hará más feliz al ser consciente de que has contribuido a hacer de nuestro mundo un lugar más habitable.

Mejor aún, ¿por qué no hacer buenas obras todos los días? Cuando piensas bien, hablas del bien y haces el bien, verás que juntos, expresando nuestra buena voluntad y la fe en nuestras capacidades, estamos creando un cambio duradero y real, para nosotros y para las generaciones futuras.

El despertar hacia una nueva opción: una opción para hacer el bien

Hay tanto sufrimiento en el mundo: pobreza, enfermedad, muerte, destrucción. La mayoría de nosotros tiende a culpar de nuestras dificultades a algo que existe fuera de nosotros mismos, algo que está más allá de nuestro control. Sé que hice aquello... Situaciones financieras, separaciones, cuestiones de salud... muchas cosas que todos parecemos sufrir en diferentes momentos de nuestras vidas. Por supuesto, todo el mundo experimenta reveses y algunas dificultades están fuera de nuestro control; pero con el fin de crecer, ¿por qué siempre tiene que ser tan doloroso?

¿De dónde procede realmente el sufrimiento? Creo que está en nuestras mentes, en nuestros corazones y en nuestros cuerpos. Sin embargo, llega un día –y para cada uno de nosotros el momento es diferente– en que decimos: «¡Se acabó el sufrimiento!».

Ese momento me llegó –se me encendió la bombillita– cuando me di cuenta de que mi sufrimiento procedía de mi propio interior. O si no, párate a pensarlo: ¿dónde «vive» uno? Yo sé que vivo y veo el mundo a través de lo que pienso y de lo que siento.

Ese día tomé una decisión firme, la elección consciente de que no quería sufrir más. Entonces fue cuando empecé a vivir. Fue cuando reconocí que era yo la que creaba mi propio sufrimiento, y que todo lo que estaba fuera de mí no era más que un «campo de aprendizaje». Todo estaba allí, fuera de mí, para mí, para aprender y crecer. Sólo después de este descubrimiento podría tomar una decisión consciente para ser feliz, permanecer sana y lograr la paz.

Sí, el camino era largo, y todavía estoy recorriéndolo. Pero cada día es un nuevo despertar. Hoy, te invito a decidir dejar de sufrir y llegar a ser feliz, sano y estar en paz. Encuentra tu camino –tu propio y único camino– para lograr este objetivo. Sólo recuerda: *¡Hazlo haciendo el bien!*

Agradecimientos

Se necesitaría un libro entero para enumerar todos los nombres de las personas a las que quiero dar las gracias, por favor, sabed que os lo agradezco a todos. Quiero dar las gracias sinceramente a mi familia y amigos, sobre todo a mis hijos y a las personas que están a mi lado cotidianamente, en casa y en el trabajo, por su apoyo inconmensurable. Les estoy agradecida a mis equipos de gestión y al Consejo de Administración de todas nuestras empresas comerciales y organizaciones filantrópicas, así como a mis socios, asesores y empleados, sobre todo a los que me ayudaron con este libro (ya sabéis quiénes sois).

Gracias a mi agente literario, Bill Gladstone, de Waterside Productions, por pedirme que escriba un segundo libro y por su apoyo a lo largo del proceso. Muchas gracias a la editorial y a los equipos de promoción de Hay House. Estoy en deuda con Noa Mannheim, que dedicó tanto tiempo y asistencia profesional para ayudarme a editar mi primer libro, *Birth: When the Spiritual and the Material Come Together*, y la primera versión de este manuscrito. También doy las gracias a Simone Graham, que actuó como mi editor y asesor para conseguir que *Activa tu bondad* estuviera listo para su publicación.

Índice

Introducción: Mi pasión por hacer el bien 9
Capítulo 1: Llamamiento a todos para hacer
el bien 17
Capítulo 2: Hacer el bien a uno mismo 27
Capítulo 3: Hacer el bien a tus seres queridos. 37
Capítulo 4: Hacer el bien en tu vida diaria 49
Capítulo 5: Hacer el bien a tu comunidad
y a tu país 57
Capítulo 6: Reflexiones sobre hacer el bien. 63
Capítulo 7: Hacer el bien a la humanidad 73
Capítulo 8: Hacer el bien al planeta 83
Capítulo 9: ¿Cómo trasforma tu vida hacer
el bien 93
Capítulo 10: Día Internacional de las Buenas
Acciones 103
Epílogo: El despertar hacia una nueva opción:
una opción para hacer el bien 115
Agradecimientos 117